地域でしごと

まちづくり試論

ときがわカンパニー物語

風間《かざま》 崇志《たかし》　関根《せきね》 雅泰《まさひろ》

まつやま書房

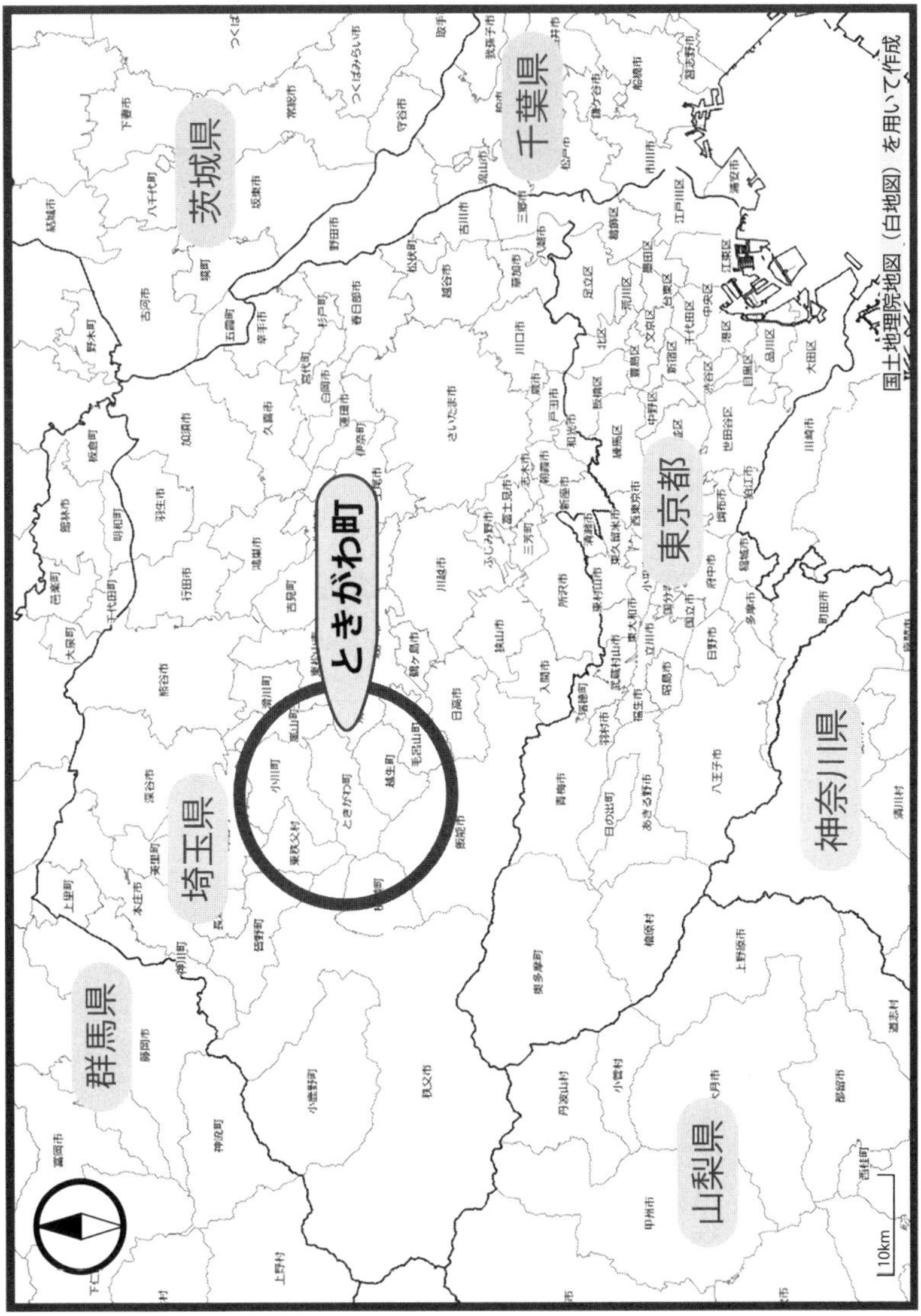

ときがわ町と首都圏地図

はじめに

本書はまちづくりに関する本である。ただし、ハコモノをつくったり、道路や水道などのインフラを整えたり、何か直接まちに働きかけたりするものではない。小さな町で、自らの「しごと」をつくる人づくりこそが、本書が提示する「まちづくり試論」である。

舞台は、埼玉県比企郡ときがわ町。人口約11000人（2020年9月1日現在）の小さな町だ。私と共著者の関根さんは、この小さな町で、「しごと」をつくり、そして「しごと」をつくる人づくりに取り組んでいる。

私は、2020年3月に、14年間働いた埼玉県越谷市役所を退職して個人事業主として起業した。今は、ときがわ町を中心に、行政と民間の連携支援や中小企業経営者のお助けマンとして活動している。何を隠そう、私自身、関根さんによる「しごと」をつくる人づくりの教えを受けて起業した一人である。

共著者の関根さんは、企業の人材育成のための研修事業を提供する株式会社ラーンウェルを運営する傍ら、ときがわ町に関する事業を行うときがわカンパニー合同会社を営んでいる。ときがわカンパニー合同会社では、比企起業塾などによる「ミニ起業家」の育成を中心として、地域で「しごと」をつくる人づくりに取り組んでおり、私も微力ながらその活動をお手伝いしている。

本書では、私と関根さんがときがわ町における活動から得た経験を元にして、「しごと」をつくる人が地域にどのような影響をもたらすのかをお話ししていく。それによって、私たちが目指す「まちづくり」の姿を提示したい。そのことが、人口減少や東京一極集中、地方創生といった地方圏のまちが直面している課題解決に向けた、一抹のヒントになればとの思いからである。


ときがわ町は、知る人ぞ知る「秘境」のような町だ。おそらく埼玉県民でさえ、ときがわ町がどこにあるか、どんな町なのかを知っている人は少ないのではないだろうか。ときがわ町の面積の約7割は山林に覆われている。役場のある町の中心部から、西方の山の手に進んでいくにしたがって、道はだんだんと急峻な上り坂となる。

とはいえ、人を拒絶するような厳しい大自然という感じではなく、集落が形成され、人々の生活が営まれる身近な自然といった雰囲気である。そういう意味では、都会から完全に隔離された「秘境」というよりは、「里山」という表現がぴったりかもしれない。距離もそう都心から離れていない。電車やバスを乗り継げば、約９０分圏内にある町である。

そんなときがわ町に今、引き寄せられてくる若者が増えている。

もちろん、知る人ぞ知る町だから、集団でドドッと押し寄せてくるわけではない。むしろ、中山間地の田舎町としてご多分に漏れず、少子高齢化が進み、高齢化率は37％を超え（平成27年国勢調査）、人口減少も進んでいる。

平成26年に日本創成会議・人口減少問題検討分科会が公表した「全国市区町村別20～39歳女性の将来推計人口」においても、埼玉県にある63市町村のうち、消滅可能性がある21の自治体にもリストアップされている。

それでも、町に引き寄せられる若者が増えていると感じるというのには、2つの理由がある。

一つは、人口には反映されていないが、移住を希望している若い世代が増えているということだ。ときがわ町で不動産業を営む尾上美保子さんによると、100世帯以上が、ときがわ町への移住を希望しているらしい。すべてが若者というわけではないが、子育て世代も多いという。世帯ということなので、単身は少ないはずで、厚生労働省が発表している2019年の平均世帯人数が2．39人であることを踏まえると、すべての希望者の移住が実現したとすると200人以上が入ってくることになる計算だ。これは町の1年あたりの人口減少数をほぼ補える数字である。

だが、そうした需要に住宅の供給が追い付いていないのが現状だ。空き家はあっても、先祖代々の土地だから手放せなかったり、相続で持ち主が分からなくなってしまったりなど、さまざまな事情で活用がなかなか進んでいない。そんなわけで、人口は減少しているが、潜在的には移住候補者が多いというわけだ。

　ときがわ町に引き寄せられる若者が増えているというもう一つの理由は、ときがわ町に移住している若者や、住んではいないけれども関係人口としてときがわ町に関わっている若者が少なからず存在しているということだ。彼らは、その実数以上に、個性的で元気のある人たちである。そのことが、人口が減少しているにもかかわらず、「若者が増えている」と感じさせるのだと思う。

　何を隠そう私自身が関係人口の一人であり、そういう若者の存在を間近で日常的に見ているからこそ、なおさらそのように感じるのだろう。

　例を挙げると、次のような人たちだ。

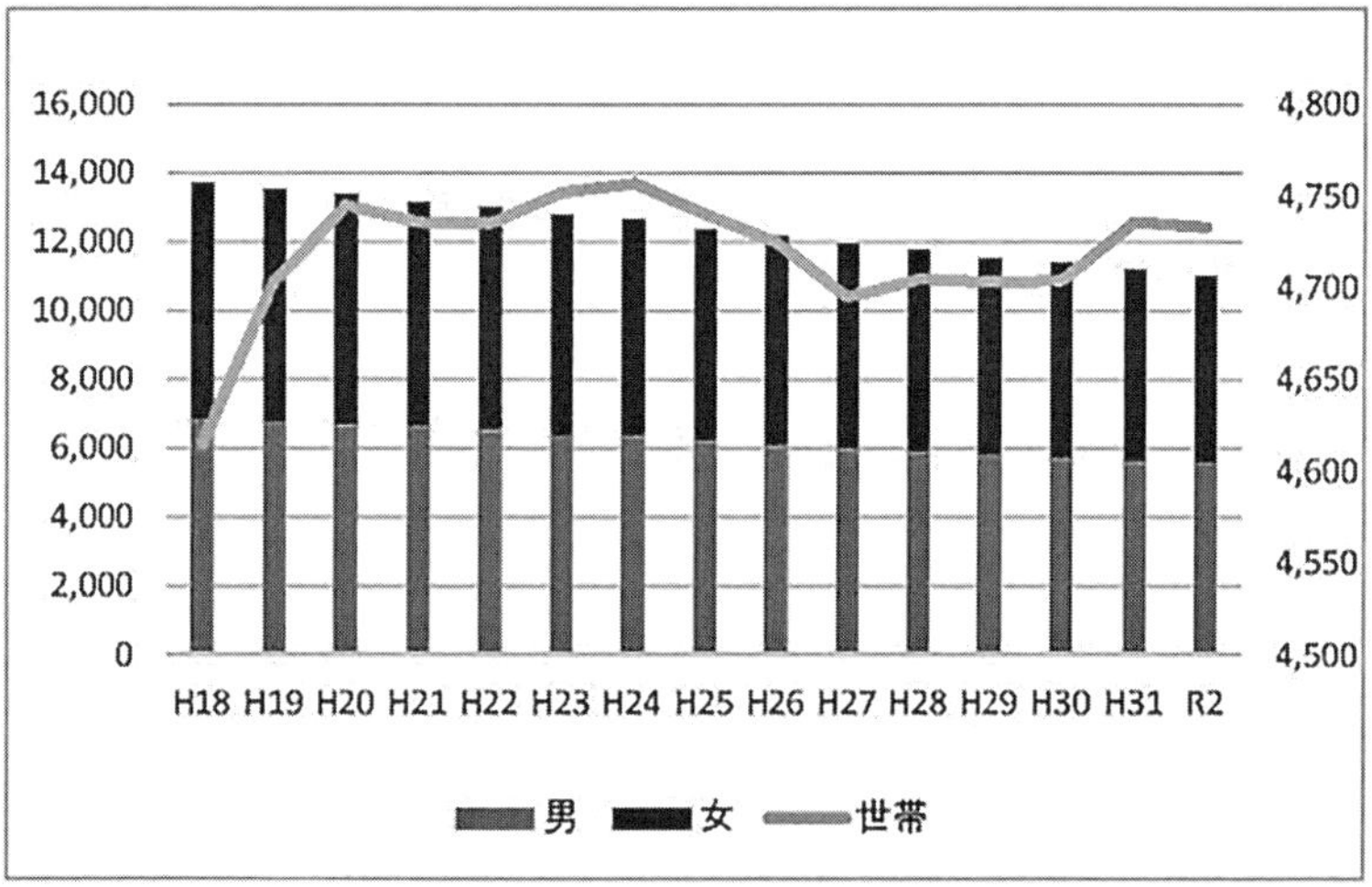

ときがわ町の人口推移グラフ
ときがわ町 Web サイト「人口の推移（4月1日）」
https://www.town.tokigawa.lg.jp/forms/top/top.aspx
（最終閲覧日２０２０年１２月２１日）から引用転載

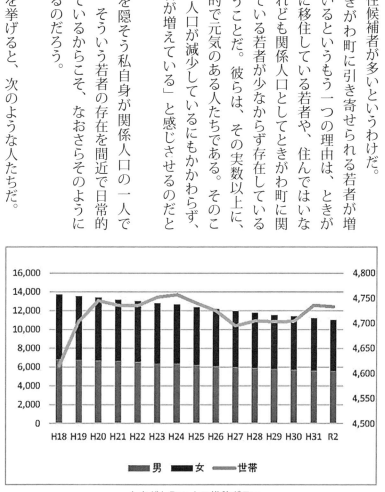

・自給自足の暮らしづくりを実現するために移住し、農業と民宿を営む男性。
・自分のキャンプ場をつくるために移住してきた夫婦。
・山の上の古民家を改修し、民泊とライター業と養鶏業を生業としている男性。
・シェアハウスに入居して、本業の傍らで、町を元気にしたいと蔵を改修して無人本屋をオープンした男性。
・都市部でも珍しい熟成肉を使用した料理を提供する飲食店を営む夫婦。

町外から来た人ばかりではない。ときがわ町出身や在住の若者もいる。

・都内で整体業や研修講師をしながら、ときがわ町、滑川町を中心とする比企地域でクリエイターチームをつくり活動する男性。
・町外に住み、会社員をしているが、休日にときがわ町の木材の活用や製材技術の習得に取り組む男性。
・公務員として勤務しながら、町内にある実家の農地を活かした食育やイベントの企画運営、動画制作などに取り組む男性。
・町外から来た大学生たちの活動に触発され、自らときがわ町の魅力を発信するための動画制作を開始した大学生。

ここにとても書ききれないくらい、じわじわと、確実に元気な若者の数は増えてきている。そして彼らに共通する特徴は、若者であるだけでなく、ときがわ町で何らかの「しごと」をつくり出していることである。本書で取り上げるのは、このような地域で「しごと」をつくる若者の姿だ。

では、一体なぜ、若者たちがときがわ町に引き寄せられるのだろうか。そして、なぜときがわ町は元気なのか。これらの問いに対する解答を見つけることが、本書のメインテーマである。

この謎を解く鍵は、「人」と「しごと」にあるのではないかというのが私たちの仮説である。本書ではこの2つのポイントに焦点を当てながら、ときがわ町で繰り広げられてきた様々な「人」の活動を紐解き、現在起こっている変化を見つめなおす。そして、ときがわ町の未来へとつながる展望を描いてみたい。

第1章では、まず、本書の舞台であるときがわ町の概要を述べるとともに、語り手である私と共著者である関根さんの、ときがわ町との関わりについて述べる。その中から、本書で焦点を当てる「人」の特性を明らかにしていく。

第2章では、今のときがわ町の基盤をつくってきた方々へのインタビューを通じて、彼らがどのような思いで活動してきたのか、現在のときがわ町の状況をどのようにとらえているのかを述べる。

第3章では、今、ときがわ町で自らの「しごと」をつくっている若者たちを取り上げ、彼らがときがわ町で得たもの、彼らがときがわ町にもたらしたものなど、ときがわ町との関わり方について述べる。

第4章では、「しごと」をつくる人たちがときがわ町の未来に与える影響や、人と人との新たなつながりに注目し、これからのときがわ町がどのような方向に向かおうとしているのか、その展望を描いてみたい。

第5章では、ときがわ町で私たちが取り組んできた視点を踏まえて、「まちづくり」を捉えなおすことを試みたい。

なお、本書はまちづくりや地域活性化のいわゆるマニュアル本やハウツー本ではない。そのため、専門用語や学術書などからの引用は極力用いないこととした。

これは、それぞれの地域には、それぞれの地域に合ったやり方があり、目立つ・目立たないに関わらず、「地域を元気にしたい」と活動している人たちが必ずいるはずで、本書を通じて、そうした人たちの草の根の動きに注意を向ける目を持ってほしいからである。

また、本書の内容が「真のときがわ町の姿である」という意図は毛頭ない。本書の中で明らかにしていくように、その人その人にとってのときがわ町との関わり方があるからであり、人によって感じるときがわ町の姿は違うはずだからである。だから、この本に書かれたことは、あくまで「私」というフィルターを通した「イチときがわ論」にすぎないことをあらかじめお断りしておきたい。

本書では、ときがわ町で活躍する多くの「人」が登場する。なかには株式会社温泉道場のように県外での展開を行っている事例もあるが、多くは個人または少人数での事業で、一つ一つは決して大きいとはいえないものが多い。しかし、確実にときがわ町に影響を及ぼしており、地域との密接な関係に基づくものばかりだ。そして、これらがときがわ町に小さなうねりを多数引き起こしている。

そうした地域のうねりは、読者の皆さまの地元、あるいは大好きな地域にもきっとあるはずである。これから地域に関わりたいと考えている方ばかりではなく、自分の生き方や働き方について考えたい、人生を通じて付き合える仲間をつくりたい、まちを元気にしたいと考えている方々にとって、本書が何らかのヒントになり、初めの一歩を踏み出す後押しとなれば幸いである。

なお、用語の使い方として、「町」はときがわ町を指す言葉として使い、「まち」はまちづくりなどのように一定の広がりのある地域の一般的な総称として使用することとする。

と、ここまで書いてきて、ふとあることに思い至った。「はじめに」から長くなるが、もう少しお付き合いいただきたい。ここから述べるのは、本書の裏テーマとなる重要な問いについてだ。

先ほど、この本のメインテーマは、なぜ若者たちがときがわ町に引き寄せられるか、なぜときがわ町は元気なのかという問いに対する解答を見つけることであり、「人」と「しごと」が謎を解く鍵なのではないかと書いた。

だが、そのさらに高次のメタな問いとして、「まちおこしとは何か」「まちづくりの成功とは何か」があることに気づいたのだ。

結論からいえば、まちづくりとは「まちをつくる人づくり」であり、まちづくりの成功とは、「まちをつくる人たちが幸せになること」である。これには唯一の正解といえる明確な姿はなく、まちごとに違う。もっといえば、まちに関わる人ごとに違うし、その時その時の時代によっても違うはずだ。

そんなフワフワした考えでいいのかと思われるかもしれない。だが、そもそもまちにはいろいろな考え方の人が生きていて、いろいろな生き方がある。そして、いろいろなことをやりたいと考えている。ならば、当然、彼らが目指す幸せの形もそれぞれ違っていいのではないかというのが私の考えである。

もちろん、これも唯一の正解ではない。むしろ鵜呑みにしてほしくない。私がやりたいのは、この本を通じて、本来、多様であっていいはずの「まちづくり」について、私個人の考えを一つの選択肢として提示することである。そのことによって、あなたに、自分の「まちづくり」について見つめなおしていただくことが私の希望だ。そうすれば、一人一人のまちとの関わり方が無数にでき、まちがおもしろくなっていくのではないかと思うのだ。

本書は、ときがわ町で活躍する人々の姿を描いた本、いわば「ときがわ本」である。だが、先に述べたように、あくまで私個人から見た、ときがわ町というまちにおけるストーリーだ。本書で登場するときがわ町で活動する人の生き方・働き方を通じて、あなたのまちに関わる人たちの生き方・働き方を発見してみてほしい。そして何より、あなた自身のまちとの関わり方や生き方、働き方について顧みるきっかけとなれば幸甚である。

ときがわマップ

「しごと」をつくる若者たち

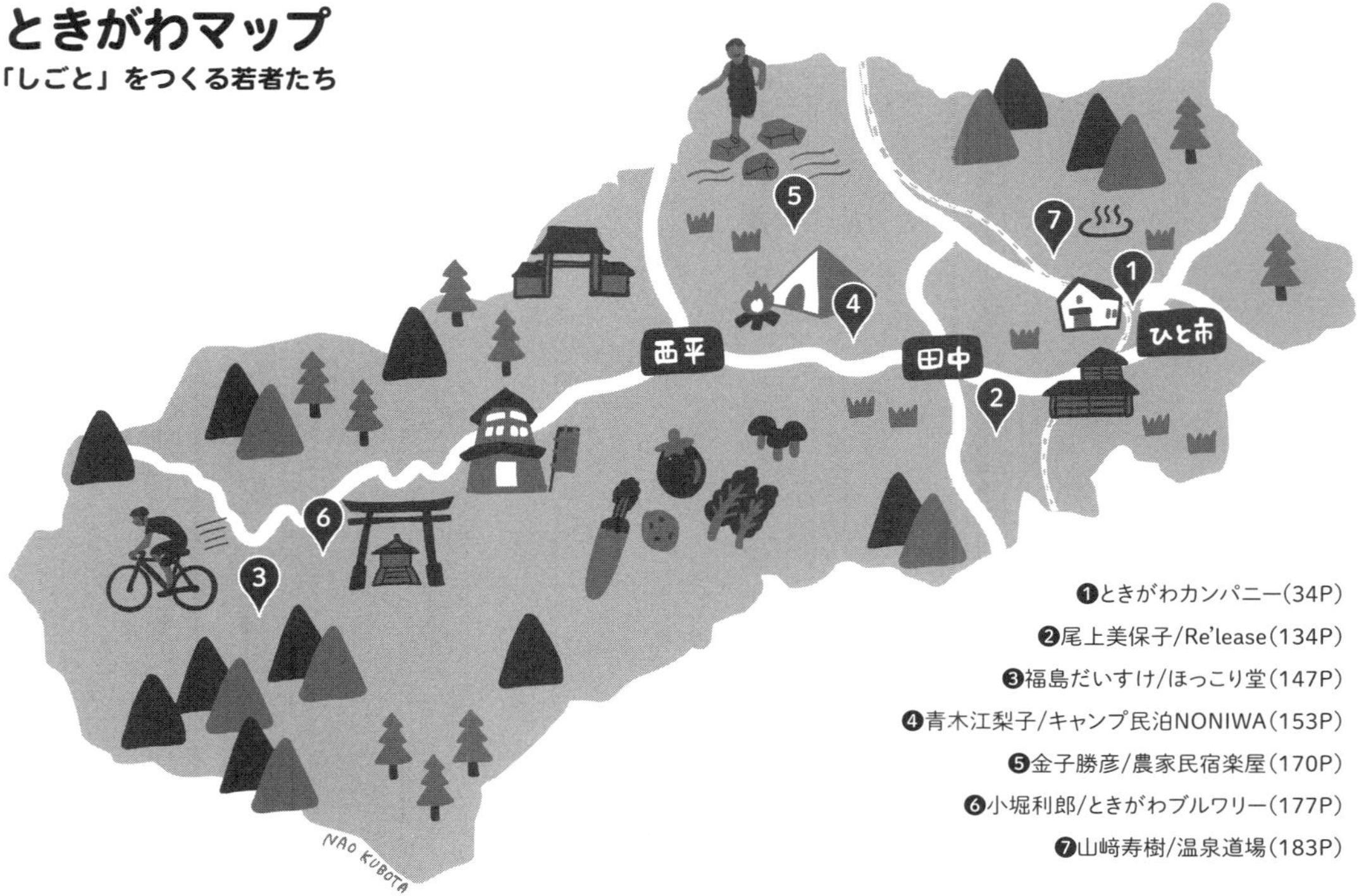

❶ときがわカンパニー（34P）

❷尾上美保子/Re'lease（134P）

❸福島だいすけ/ほっこり堂（147P）

❹青木江梨子/キャンプ民泊NONIWA（153P）

❺金子勝彦/農家民宿楽屋（170P）

❻小堀利郎/ときがわブルワリー（177P）

❼山﨑寿樹/温泉道場（183P）

第1章
ときがわ町と「ときがわカンパニー」

（1）ときがわ町の概要

まずは物語の舞台であるときがわ町について、簡単にご紹介しておきたい。

ときがわ町は、埼玉県のほぼ中央の比企郡にある人口1万1000人（2020年9月1日現在）ほどの町である。東武鉄道東上線 池袋駅から武蔵嵐山駅まで急行で約1時間、武蔵嵐山駅からは路線バスに乗り換え、町役場の本庁舎前のバス停まで約15分。またはJR八高線で八王子駅から明覚駅まで1時間ほどだ。総じて東京から1時間半圏内にある「トカイナカ」である。

このトカイナカという言葉は、実はときがわ町大野地区の山奥で古民家民泊「ほっこり堂」を営む福島だいすけさんの受け売りである。

トカイナカとは言い得て妙である。「超」がつくほどのド田舎ではないけれども、決して都会でもない。

都会から田舎への玄関口。

都会のすぐ近くにある田舎。

都会と田舎のかけ橋のような場所。

そんなときがわ町のイメージをよく表しているのではないかと思う。

さて、そんなトカイナカなときがわ町であるが、自治体名がひらがな表記になっていることからわかるとおり、平成の大合併によって誕生した比較的新しい町だ。平成１８年（２００６）に、旧都幾川村と旧玉川村が合併して、ときがわ町が誕生した。

ここで、ときがわ町公式ホームページに掲載されている、渡邉一美町長のメッセージをご紹介したい。

「田舎にこそ夢がある　～ときがわ町～
平成１８年2月に旧玉川村と旧都幾川村が合併し、ときがわ町として新たなスタートを切りました。奥武蔵の山々から流れる一級河川「都幾川」に沿って集落を形成し、昔から林業と建具を地場産業としてきました。近年は、この自然豊かな土地柄を売りに、標高差８００ｍの立体的な地形の中にさまざまな癒しの観光スポットを用意し、来町客をお迎えしています。
子育て世代や自然農法に取り組む若者にも人気です。」
（ときがわ町公式ホームページから引用）

この短いメッセージには、ときがわ町の特色が端的に織り込まれている。

都幾川は、その名のとおり、ときがわ町の象徴のような存在である。風光明媚な三波渓谷をはじめ、季節や地形によっていろいろな表情を見せながらときがわ町を貫流する。川で水遊びをしたり、飛び込んだりする子どもたちの姿は夏の風物詩だ。また、梅雨前後の時期の夕暮れには、いくつもの個所で澄んだ水の証でもあるホタルの姿を楽しむことができる。

ときがわ町の主要な産業といえば、まっさきにあげられるのが建具である。中山間地らしく、かつては豊かな森林資源を背景として林業が栄え、優れた建具などの木工職人を多数輩出した。

およそ1300年前に開かれたといわれる慈光寺は、「番匠」と呼ばれる腕のいい木工技術者たちによって建造されたが、明治維新後には、ときがわ建具の名が広く知れわたり、関東大震災や第二次世界大戦後の復興期には、良質の建具の供給地としての地位が確立されたといわれている。この地に住み着いた匠たちの建具の技は、今もなお受け継がれており、建具会館などでそれを伺い知ることができる。

また、最近では、観光に熱心だ。ときがわ町には、山や川などの豊かな自然がある。これに加えて、歴史文化を伝える慈光寺、宿泊やバーベキューもできる堂平天文台など、数はそう多くないが特徴ある施設が存在する。ほかにもサイクリングやキャンプなどのアウトドア、泉質の優れた温泉、安心・安全な有機農産物やそれらを使った料理、ちょっとおしゃれなカフェなどが点在しており、県内や東京をはじめとする首都圏から年間約100万人もの観光客を惹きつけている。

東京からほんの９０分で手に届く田舎町。ときがわ町とはそんなまちである。

慈光寺

堂平天文台

ときがわ町の風景（ときがわ町庁舎上から撮影）

ときがわ町で触れる歴史 その①

慈光寺観音堂

焼失前の慈光寺釈迦堂（立て看板より）

ときがわ町で触れる歴史 その②

荻日吉神社

児持杉（荻日吉神社）

慈光寺釈迦堂跡地

（2）キーワードは「人」と「しごと」

さて、これから「なぜときがわ町が若者を引き寄せるのか」、そして「なぜときがわ町は元気なのか」という2つの謎を解き明かしていくわけだが、その際に重要な2つのキーワードを提示しておきたい。それは「人」と「しごと」である。

「ときがわ町に、人が集まり、仕事が生まれる」というのは、この後に取り上げるときがわカンパニー合同会社のビジョンだが、その言葉どおり人が集まるとそこには仕事ができる。極めて単純な話である。逆に、仕事が生まれるとそこに人が集まるという側面もある。

また、あえて「しごと」と平仮名で表記したのは、地域での「仕事」ということに加えて、誰かから言われたからやるのではなく、自分が好きでやるジブンゴトとしての「仕事」という意味を込めている。「人」と「しごと」の循環があることが、何より地域の活力の源になるものだと私は考えている。

本書で注目したいのは、この2つの要素をあわせ持った「しごとをつくる人」である。起業家、個人事業主、経営者がその典型だが、それに限らない。会社員であっても、個人として「しごと」をつくることはできる。

また「しごと」とは、単なる収入源ということではなく、自らが生み出した地域での役割・価値でもある。つまり、経済的価値だけでなく、地域社会や地域の人々との関わりの中で生まれる社会的価値を含んでいるということだ。本書では、こうした意味を持つものとして「しごと」という言葉を用いている。

つまり、「しごとをつくる人」とは、地域に経済的価値だけでなく、新たな社会的価値をもたらす存在である。本書では、このような「しごとをつくる人」を多数取り上げた。

本章では、まず、著者紹介も兼ねて、私とときがわ町の関わりと、私が自分の「しごと」をつくりはじめた経緯について述べる。続いて、そのきっかけを作ってくれた恩人であり、本書の共著者でもある関根さんとときがわ町との関わりと、関根さんが経営するときがわカンパニー合同会社（以下、「ときがわカンパニー」）の事業についてご紹介することにしたい。

（3）風間崇志（まなびしごとLAB）

～公務員から個人事業主への転身！　きっかけは、ときがわ町での出会い～

まずは僭越ながら、筆者である私とときがわ町の関わりをお話しすることから物語を始めたい。

２０２０年３月、私はそれまで１４年間勤めた公務員を退職し、同年４月に個人事業主として起業した。屋号は「まなびしごとＬＡＢ」である。私にとって、「まなび」と「しごと」は切っても切り離せないものであり、生涯を通じて追究していきたいライフワークである。また、いろんな人と関わって、いろんなチャレンジをまちに起こしていくＬＡＢのような場を目指していきたいという想いを込めた。

現在、手掛けている事業としては、共著者の関根さんが経営するときがわカンパニーのパートナーとして、同社が行っているいくつかの事業をお手伝いするとともに、小中学校でのＩＣＴ支援、国や県の制度を活用した農業や観光、中小企業の支援などを行っている。その多くがときがわ町での「しごと」だ。

言うまでもなく、公務員を辞めて起業したことは、私のこれまでの人生で極めて大きな転機である。起業1年目からこうしてお声かけいただけるのは本当にありがたいことだ。そして、起業したきっかけも、今こうしてときがわ町で「しごと」をつくることができたのも、間違いなく、ときがわカンパニーを知り、ときがわ町を訪れたことが始まりである。

私が初めてときがわカンパニーを訪れたのは、２０１８年８月１３日のことだ。それから1年8か月間で、起業するに至ったことになる。その間、いったい何があったのか。私事にはなるが、しばし振り返ってみたい。

●きっかけは読書会

実は、ときがわカンパニーのことを最初に知ったのは、私ではなく、私の妻だった。きっかけは、ときがわカンパニーが開催していたワンコイン読書会だ。課題本は『ストレッチ』（スコット・ソネンシェイン著）だったと記憶している。

当時は、妻が都内での読書会に通っていた頃だった。だが、通うのに時間がかかる上に、開催時間が早朝ということで近場に参加できるところがないか探していたところ、ときがわカンパニーで読書会をやっていることをつきとめた。そして、それを本好きな私に教えてくれたというわけである。

私はというと、本は好きだがそれまで読書会に参加したことはなかった。読書会というものに興味はあったのだが、妻のようにそのために都内に行くのは億劫だったからだ。

　すると、私たちの住む坂戸市から車で30分ほどのところにあるときがわ町で、読書会に参加できるという。特に断る理由もなかったので、ときがわカンパニーとはどんな会社か、どういう人がいて、どういうことをやっているのかも自分でろくに調べもせずに、妻に誘われるまま参加したのだった。


　実際に参加してみてどうだったかというと、楽しさと安心感と興奮が入り混じったような、それまで感じたことのない不思議な感覚だった。その日、読書会に参加していたのは、ときがわカンパニーの関根雅泰さんのほか、林博之さん、栗原直道さんの3人だった。私たちは、もちろん3人とはいずれも初対面だった。

　どちらかというと人見知りな私にとって、自分が思ったこと、考えたことを初対面の人に話すというのはなかなか勇気がいる。そんな私でも、好きな本のこととはいえ、緊張感なく発言できたというのは自分でも不思議だった。とにかく何を言ってもすぐに反応が返ってくる。それもネガティブな反応ではなく、肯定的に「受け止めてくれている」と感じた。

　聞けば、3人とも起業家だという。それも栗原さんは私よりも年下だというではないか。こんな人たちが、失礼ながら埼玉県のこんな小さな町にもいるのか。こんな生き方があるのか。ある種の感動というか、衝撃を覚えたのだった。

●なぜか、妻が講師に。目の前で「しごと」が生まれた

ときがわカンパニーの読書会に参加した私と妻だったが、話はここで終わらない。その日の読書会が終わりに近づいた頃、さらに驚きの展開が待っていた。

妻が、就職した後も民俗学の研究を自分で続けており、ときがわ町を含む比企郡にはフセギという民間行事が残っているということを話したとき、関根さんはこんなことを言い出したのだ。

「じゃあ、ここで何かやってよ」

「えっ、いいんですか」と、これは妻。

絵に描いたようなトントン拍子で、なんと妻が、ときがわカンパニーが開催している講座「比企学」の講師を務めることになったのである。しかも講師代つきで。初めて出会ったばかりなのに、妻に仕事ができてしまった。まさにこのとき、ときがわ町で新しい「しごと」が生まれる瞬間を、私は目にしたのであった。

妻は、自分が温め続けていた長年の研究テーマであるフセギの発表の場を得られたことで、まさに水を得た魚のようにイキイキとして講座の準備を進めていった。私も学生の頃は民俗学を専攻していたので、時折、妻から相談を受けつつも、そんな妻の表情を見て、嫉妬のような羨ましさを感じていた。その時、好きなことを仕事にしている人への憧れのようなものが、私の中に芽生えていたのかもしれない。

●比企起業塾第2期への入塾

初めてときがわ町で読書会に参加してから、約2か月後の2018年10月。私はなぜか、比企起業塾の2期生になっていた。比企起業塾（以下、「起業塾」）とは、後で紹介するように、ときがわカンパニー主催の起業家育成塾だ。自分や家族を大切にしながら、比企地域、またはその周辺で小さくても長く続けられる「しごと」をつくる起業家である「ミニ起業家」を育成している。

読書会に参加したときは、もちろん起業なんて頭の中になかった。本音を言えば、公務員のまま定年を迎えることはないだろうなと以前から漠然と考えていたが、いつ退職するのか、退職後は何をするのかということに関しては、まったく具体的なイメージをしていなかった。

それなのに、起業塾2期生募集のお知らせを受け取ったとき、起業塾の事前説明会に参加したとき、そしてその日の夜に妻と話し合ったとき、なぜかこの起業塾に参加することが自分にとって当然のことのように思えた。大げさに言えば、運命のようなものを感じていた。

その頃の私は、このまま公務員でいることに悩んでいた。理由はいくつかある。

妻が第2子を妊娠中だったこと。

職場と自宅との往復には約3時間かかり、通勤への負担を感じていたこと。（2人目が生まれれば当然、妻の負担は増大する）

人事異動で、やりがいを感じていた部署から他部署に異動になり、組織で働くことへの違和感を覚えていたこと。

でも、辞めるにしても何をしたらいいかのイメージが自分の中にない。転職にしても特に専門スキルがあるわけでもなく、通勤・勤務時間を考えるとたいして今と状況が変わるとも思えず微妙だ。そんなことが相まって、起業塾はこの先の人生を変える一つのチャンスになるのではないかと考えた。目の前で、あっという間に「しごと」ができる瞬間を見たというのも大きい。

後で聞いた話によると、私の入塾が決まるまでにはちょっとした経緯があったらしい。起業塾で主に学ぶのは「お客づくり」。商品やサービス、場所などが何も決まっていない段階では難しいのではないかということであった。その頃の私には、「これをやりたい」という起業後の事業のイメージすらなかったからである。

だが、結果的には晴れて起業塾生となった。公務員なのに起業を希望しているというユニークさが決め手だったようだ。

とにもかくにも起業塾生となったそれからの半年間は、公務員の仕事を続けながら、月1

回の講座あり、それ以外での自主的な起業に向けた事業プランづくりやワークショップ、読書会などの実践あり、第2子の誕生あり、約2か月の育児休暇の取得ありと、悩みながらも充実した日々を過ごした。自分の「しごと」をつくることに一生懸命に悩んだからこその充実感だったのだと思う。

また、起業塾の仲間の存在も大きい。関根さんをはじめとする講師陣に加えて、起業塾1期生の先輩方ともつながりができた。そして、何より同期である起業塾2期生のメンバーと出会えたことは今の私の支えとなっている。

2期生のメンバーは個性派ぞろいだ。

頼れる先輩起業家、ダウンシフター&古民家民泊&ライターの福島だいすけさん。

起業塾の基本戦略である「ランチェスター戦略」を題材にして、オリジナルソングまでつくってしまった生活芸術家の菅沼朋香さん。

日本初のキャンプ民泊とときがわへの移住を成し遂げた、野あそび夫婦のエリーさんこと青木江梨子さん。

下請け企業からの脱却を図りたいと、意を決して起業塾に参加したハカマダ建具の袴田佳代子さん。

そして現役公務員（当時）の私の5名だ。

起業塾では、行動することに重きが置かれる。個性が違うのに、いや違うからこそ、学び合え、化学反応が起こる。成功だけが行動の結果じゃなくていい。まずやることが大事。失敗しても、そこから得る学びを大切にして、次に生かしていけばいい。

完璧主義で、準備万端でないとなかなか踏み出すことができない私だが、起業塾に参加し、いろいろな実践を重ねることで、トライ・アンド・ラーン（「トライ・アンド・エラー」という言葉では「失敗」が強調されてしまうので、実践からの「学び」を前面に出した）の精神を身につけることができたのではないかと思う。

半年間の起業塾で、私は「仲間」と「トライ・アンド・ラーン精神」というかけがえのないものを得た。迎えた2019年2月の起業塾活動報告会。私は「2020年退職」をぶち上げていた。

比企起業塾活動報告会

●そして公務員から起業家へ

そして2020年3月。結果的には宣言どおり私は公務員を退職した。もちろん、それまでにはいろいろな迷いもあった。

起業塾を卒塾後、本業の公務員への仕事のモチベーションは上がったり下がったりを繰り返した。一直線に起業を目指すというよりは、公務員をやりながら、二足の草鞋を履いて「しごと」を創ることもできるのではないかと考えた。

だが、第二子が生まれ、家族4人での生活も本格化する中で、そのままの働き方では、自分で時間や仕事をコントロールできないことや毎日の通勤に対するストレスやいら立ちが大きくなっていった。何より、自分がやりたい「しごと」や家族との生活にも、公務員としての仕事にも、フルコミットできない中途半端な自分に。

このままの生活を続けたら後悔しないか。いろいろなチャンスを逃してしまうのではないか。そんな思いが日増しに強くなっていた。起業への不安がなかったわけでもない。それでも、最後には「なんとかなる」と思えたのは、関根さんや起業塾に関わる仲間たちがいたからだ。

口に出したらそのとおりになるという場面を、私はときがわ町で何度も目にしている。口にすると叶う。そう思わせる不思議なパワーがときがわ町にはある。だがその力はただ待っているだけでは得られない。「人」に出会い、関わり続けることが必要なのだ。私の場合は、きっかけとなったのは関根さんだった。

もう一つ重要だと思うのは、「しごと」だ。私は、「しごと」を通じて、ときがわ町での役割や人との関わりをつくるきっかけが得られた。

そこで、次に、私に「人」と「しごと」の重要さに気づかせてくれた人物であり、本書の共著者でもある関根雅泰さんをご紹介したい。

（4）関根雅泰（株式会社ラーンウェル、ときがわカンパニー合同会社）

～「田舎で起業」に憧れて～

関根さんは、現在、株式会社ラーンウェル（以下、「ラーンウェル」）とときがわカンパニー合同会社という2つの会社を経営している。ラーンウェルは、関根さんの専門である企業人材育成の研修を提供している会社だ。そして、文字どおり、ときがわ町での事業をメインとしているのが、ときがわカンパニーである。

関根さんがときがわカンパニーを設立したのは２０１６年１月で、現在までに実にいろいろな事業を展開してきた。ときがわカンパニーの事業内容については次項で詳細に取り上げることとして、ここでは関根さんがときがわ町に関わりはじめた経緯を振り返ることにしたい。ポイントは「起業」と「田舎」である。

●起業まで

関根さんは、埼玉県鴻巣市の出身だ。県内の普通高校を卒業後、アメリカの大学に入学した。日本の大学に魅力を感じず、行く意味が感じられなかったことや日本の教育制度に疑問を感じていたことが主な理由だ。

アメリカでの6年間で関根さんが学んだことは、「学ぶ楽しさ」だった。日本の教育制度に疑問を抱いていた関根さんにとって、外国人でも、優秀な学生には奨学金を出し、学業を応援するというアメリカの教育システムが魅力的に映ったという。また、広大な自然に囲まれて、専攻した人類学でのインディアン居住地への訪問やヒッチハイクでの旅なども経験した。

「学ぶ楽しさ」は、こうした懐の広い学習環境や周りにあった豊かな自然の中で、のびのびと学ぶことができたからこそ得られたものだったのだろう。自然や田舎の風景への憧れは、この頃から抱き始めたもののようだ。

日本に帰国後は、「日本の教育を変えること」を夢に抱き、小中学生向け学習教材の訪問販売会社に就職する。営業として何度かトップセールスにもなり、新しい教材の開発等の仕事にも携わるようになったが、「日本の教育を変える」という夢を実現するためには、今日本で力を持っている人がいる「ビジネスの世界」に出なくてはならないと感じるようになった。

そんなときに出会ったのが、企業内研修という仕事だ。「大人の学習のお手伝い」という言葉に惹かれ、企業内教育コンサルティング会社に転職した。そこでは大手企業の人事部や教育部に対して、研修を販売する営業と研修講師を務めた。

非常にやりがいのある仕事で、充実した日々を過ごしていたが、しだいにここでも新たな課題に直面することとなった。それは、組織に属する人間の宿命として、「好きなことができない」「時間を会社にとられる」ということだ。

職能が上がるにつれて、会社からの期待も大きく責任も重くなり、帰宅が遅い日も多くなる。結婚して子どもが生まれて、帰りが遅いと家族との時間を十分にとることができなくなる。このままサラリーマンを続けていくと、もっと忙しくなり、会社に縛られるようになる。「このままでいいのか？」という疑問が日に日に大きくなっていった。

そこで始めたのが、「週末起業」という起業スタイルだ。藤井孝一氏の『週末起業』という本との出会いがきっかけだった。会社ではできないことをやるために、そして人に雇われずに自分で稼ぐ力を身につけるために、メールマガジンなどによる情報発信をすることから始めた。すると、同じような夢を持つ仲間や応援してくださる先輩起業家、起業に関する情報提供を希望するお客さんなど、会社では得られないさまざまな人との接点が生まれるようになったのだ。

そして、２００５年2月、関根さんは会社を退職し、独立起業家となった。直前にあった父親の死も大きなきっかけだった。人間、いつ死ぬかわからない。やりたいことがあるのに、やらないで後悔したくない。関根さんが３３歳のことだ。

だが、起業はしたものの、当初から事業が順調だったわけではない。はじめは仕事も不安定だったため、ホームページの作成や英語文章の和訳、個人向けセミナーの講師など、いろんな仕事に手を出した。関根さんから、「一点突破」を基本軸とするランチェスター戦略を学んだ起業塾生からすると、信じられないような話である。

それでも、サラリーマン時代の給料には届かず、貯金がどんどん減り、妻と子供もいる中で、このまま続けていけるのかと不安にかられていたそうだ。

そんな中、先輩起業家やお客さんなどの、周囲の助けを得て活路を見出したのは、以前勤めていた会社で経験した企業内研修だった。まずは企業研修1本に絞ったことで、事業が上手く回りはじめたのだ。２００６年4月には、最初の書籍である『教え上手になる！』を出版できたことも功を奏し、「教え方」に関する企業研修が事業の中心となった。

独立して数年たつと、「自分も独立したい」というサラリーマンからの相談を受けたり、その人が独立後に仕事を発注したりと、ミニ起業家の方々との接点が増えてきた。その中で、独立後、上手くいくための方法論が見えてきたという。関根さん自身も、起業するにあたっては先輩起業家やメンター、お客さんから教わってきたことが多くある。その知恵やノウハウを、後から来るミニ起業家に伝えているのだ。

関根さんがこれまで身をもって経験してきたことが、ミニ起業家育成をはじめとする今のときがわカンパニーの事業の源となっている。本やインターネットから得た単なる情報ではなく、実際に自分で経験してきたことだからこそリアリティがある。

だからこそ、学ぶ側も身近に感じられるし、自分に身を置き換えて参考にすることができる。その点が、関根さんのミニ起業家育成の最大の魅力である。

●ときがわ町への移住とときがわカンパニーの誕生

前述したようにアメリカでの経験から、田舎に憧れのようなものを抱いていた関根さん。実際に田舎暮らしを決めたのには、それ以外にもいくつかの理由があった。

一つは、奥さんの影響である。奥さんとは、アメリカの大学時代に知り合ったが、九州大分の田舎町出身の日本人。その彼女が、東京に出てきたとき、「電線が多い」と口にしたという。田舎では、山の間から青い空が見えるのが当たり前の風景だったのに、東京では空を見上げると、電線ばかり。空も、青というより白っぽく霞んで見える。関根さんにとっては当たり前の光景でも、彼女にとっては違うということに衝撃を受けたそうだ。

もう一つは子ども。自分の子どもには、田舎での自然遊びをさせてあげたい。子どもが小さい間は、日本の田舎で育てたい。奥さんの故郷の話も重ねて、そんなことを考えていた。

一時は大里郡にある寄居町にも住んでいたものの、最終的な移住先として選んだのがときがわ町だった。自然豊かな環境であったことと、田舎のわりには、主な顧客がいる東京までの距離が近かったことが大きな理由だ。まさにトカイナカな距離感が絶妙だったということだろう。

田舎というと、自然豊かな反面、排他的で、ヨソ者には土地を購入するのはハードルが高いというイメージがある。来る前はそのようなイメージを持っていたが、初めて訪れたときがわ町はオープンだと感じたことも大きい。今の住まいの土地を紹介されたとき、奥さんが即決したのだという。

だが、今度は住み始めてからが大変だ。ヨソ者は常に、「いつ出ていくのか」という目で見られてしまう。いかにときがわ町がオープンな気風で、土地を賃貸ではなく購入していたとはいえ、好奇の目はあったようだ。

せっかく居を構えた以上、住んでいる町を良くしたいと思うのは当たり前である。周りの好奇の目に反発したわけではないが、関根さんは積極的に地域活性化の活動に参加するようになる。もともと団体などに所属するのはあまり好きではなかったが、第２章で取り上げている「ときがわ活性会」の活動には興味を抱いた。ときがわ町のことを知る上でも、ときがわ町での人脈を築く意味でも、非常に有意義で、ときがわ町を元気にするために新しいことを考えていくのは楽しかった。

関根さんは、こうした地域のための活動を、はじめは趣味として捉えていた。だが、本業のラーンウェルの仕事を抱える中で、徐々にボランティアとして携わることに疑問を感じるようになった。アートをテーマにした一大イベントである「Artokigawa」が実現に結びついたものの、運営者であるときがわ活性会のメンバーの負担が大きくなっているように見えたからだ。

　そんなとき、同じような時期に周りの経営者仲間などから同じような言葉をかけられた。

「趣味の域では、本業がなくなったとき続かないのではないか」

「仕事として事業化したらどうか」

「地域のことをやりたいなら本気じゃないとできない」


　同時期に複数の人から同じようなことを言われるということは、これは、「そういうタイミングなんだ」と理解した。そして、「本気」とは何かを考えたとき、ときがわ町に本社を置いてときがわ町で仕事をする会社をつくることを思いついたのだ。そうして生まれたのが、2つ目の会社、ときがわカンパニーである。

　ときがわカンパニーという名前には、自分自身と地域に対する「本気度」が込められている。会社をつくってしまえば、責任があるし、簡単には逃げられないからだ。以前は、地域に密着した仕事だと、お客さんが近いため、プライベートも窮屈になりそうな気がするのが嫌だったが、本気度を示すには好都合だし、本気でぶつかれば、相手も本気になる。ときがわ町での生活を長い目で考えているからこその選択だ。

また、カンパニーには「仲間」という意味がある。互いに依存しない濃すぎない仲間とともに、ボランティアではなくビジネスで稼ぎ、地域を活性化していくという意思が表れている。

その名前どおり、ミニ起業家の仲間たちが、今、ときがわカンパニーに集まってきている。ときがわカンパニーとは、社名でもあり、そこに集まってくる仲間を指す言葉でもあるのだ。

起業支援をする関根さん

（5）ときがわカンパニー
〜ときがわ町に人が集まり、仕事が生まれる〜

前述では、ときがわカンパニーができるまでの経緯を振り返ってきた。次に、ときがわカンパニーがこれまでどのような事業を手掛けてきたのかを見ていくこととしたい。内容は実に多岐にわたっているが、ざっくりいうと以下のような事業をこれまで行ってきている。

・「ミニ起業家」の育成（起業相談、比企起業塾）
・本屋づくり（本屋ときがわ町）
・林業支援（内装木質化、木のおもちゃづくり）
・ＥＣショップ（インターネットによる商品販売）
・カフェ
・インバウンド向け事業（訪日外国人を対象としたコンテンツづくり）
・各種ワークショップ、読書会
・情報発信（ときがわカンパニー通信、動画、ブログ）

（詳しくはこの後に述べていくが、本書で使用している図解イラストは久保田ナオさん（アートディレクター、イラストレーター、グラフィックレコーダー）に、したためていただいたものだ。）

ときがわカンパニーの設立は２０１６年１月１日のことである。同社のホームページには、同月６日からブログ記事が投稿されている。本書を執筆するにあたって、その記事をすべて読み返してみた。

まず、２０１６年１月６日から２０２０年７月末までの４年半に投稿されたブログの投稿数を数えてみると、約１２００あった。ひと月あたりにすると約２２記事。ほぼ３日に２記事のペースで投稿してきた計算になる。もう一つの会社、ラーンウェルの仕事もこなしながらだから、これはかなりの頻度の高さといえるだろう。

ブログを読み返してわかることは、非常に多くの人がときがわカンパニーに関わってきたということである。特に、ときがわ町役場本庁舎の目の前にある建物が、起業支援施設ioffice（以下、「ioffice」）としてオープンした２０１７年４月以降は、そのことがよく分かる。

iofficeには、ターゲット顧客であるミニ起業家（候補者を含む）はもとより、学生やマスメディア、都内をはじめとする企業の社員、住民、町役場の職員、ときにはときがわ町長も訪れる。それは、いろんなバックグラウンドを持っている人が、分け隔てなく交流でき、フラットな立場で語り合える場を、ときがわカンパニーは提供しているからだ。

ただし、ありとあらゆる人が対象かというと、必ずしもそうではない。訪れる人に共通するのは仕事である。もっといえば、地域で「しごと」をつくることに関心のある人たちだ。決して物見遊山ではなく、地域の「しごと」という共通項があるから、どんなバックグラウンドがあっても対等な立場で議論ができる。こうした場が地域の身近な場所にある意義は大きい。

ときには、出会ってすぐ、その場で「しごと」が生まれることもある。象徴的なのは、2017年の栗原直道さんと関根さんとの出会いだろう。詳細は、第2章でご紹介するが、都内で整体師として働いていた栗原さんは、関根さんに会うためにiofficeを訪れ、なんとその一週間後に研修講師としてデビューを果たしたのだ。

実はこうしたことはiofficeではよく起こる現象である。いや、現象というのは正しくない。関根さんが「地域でしごとをつくる」「しごとをつくる人を育てる」ことを本気で考え、常に意識していることによるのだ。

仕事を受ける側も本気が求められる。そうでなくては、関根さんから「やってみる?」と聞かれたときに、その場で「やります!」とは答えられないだろう。

もちろん、訪れたときには悩んでいる人も少なくない。だが、少なくとも「やってみたい」「チャレンジしてみたい」と一歩を踏み出したくなる、そんな雰囲気がときがわカンパニーにはある。

なぜそのようなことが起こるのだろうか。それは関根さん自身が、これまでさまざまなチャレンジをしてきたからだ。もちろん、うまくいくものもあれば、うまくいかないものもあった。自分自身がチャレンジを実践する中で、地域で「しごと」をつくるにはどうしたらいいか、「しごと」をつくる人を育てるにはどうしたらいいかということを考え、ノウハウを蓄積してきたのである。

ときがわカンパニーが当初、力を入れていたのは林業支援である。町内の製材所や行政と連携して、「ときがわ方式」と呼ばれる学校や保育施設の内装木質化のPRや販売、端材を利用した木のおもちゃの製造・販売を行っていた。

いくつか実績につながったものもあるが、安定した事業として継続できる見込みまではつかなかったため、現在は一時休止している。ただ、この点に関しては、比企起業塾3期生の山口直さんが、ときがわ材の活用と活性化を目指した事業を展開しており、将来への期待が持てるところである。

次に手掛けたのは、埼玉県と連携した起業家育成事業である。これが今の比企起業塾の元となっている。

だが、当初の事業は、今の比企起業塾とは毛色が違って、東京都心からの移住者をターゲットとしていたようだ。開講にあたっての事前説明会やプレセミナーを都内で実施するも、集客に苦戦した様子がブログで綴られている。東京はおろか、埼玉県民ですら、ときがわ町を知らない人が多いことを考えると、それも当然かもしれない。結局、入塾が決まったのは、ときがわ町と周辺の比企地域からの参加者ばかりだった。

比企起業塾の実施は、いくつかの点でその後のときがわカンパニーの事業に大きな影響をもたらした。

一つは、ときがわカンパニーのターゲットとなるお客さん像である。前述したように、ときがわ町は、東京はもとより埼玉県在住者にも知名度は高いとはいえない。だが、比企郡周辺であればそれなりに知名度はある。知らない人にときがわ町のファンになってもらうよりも、比企郡周辺でときがわ町を知っていたり、訪れたことがあったりする人をターゲットにした方がより効果的だということに気づいたのだ。

もう一つは、自治体案件の難しさを感じたことである。比企起業塾が成功したことで、より積極的に自治体からの仕事を受託しようと考えて3件の事業コンペに参加したが、全滅した。中には自治体側から声をかけられた案件もあったにもかかわらずだ。当然、コンペの提案には時間をかけて準備する必要があるが、その労力に見合わないと感じた。そのこともあって、自治体とのビジネスはやらないと決めている。

そのほかにも、イーコマース事業（ECショップ）、カフェ事業、比企ピザづくりワークショップ、ときがわスキマ旅、読書会など、ときがわカンパニーではこれまでいろいろな事業を実施してきた。中長期計画を立てて何かを実行していくというよりも、「今」に焦点を置いて、試行錯誤しながらいろいろなことを矢継ぎ早に実行していくというスタイルである。ここで重視しているのは「旗を立てる」ということと「余白を残しておく」ということだ。

「旗を立てる」とは、明確に「これをやります！」と宣言することである。周りの人が見たときに、何をしているのかが分かりやすくなり、相談もしやすくなる。その様子をさらに発信することで、同じような悩みを持つ人がそれを見て、来てくれるようになる。

他方、「余白を残しておく」というのは、完璧にやりすぎない、完璧を求めないということである。準備段階から時間をかけて入念にシミュレーションして完璧な状態でリリースするのではなく、まずは仮説をもとにある程度まで準備ができたらやってみる。その反応を見て、次への改善につなげるのだ。

余白を残しておくことのメリットは、実行までにスピードが早いことや手間が少ないということだけではない。お客さんや見た人が、応援するために手を貸したいと思えるということも挙げられる。

ときがわカンパニー通信を見た人が、「ロゴがダサい」といってロゴのデザインを提案してきてくれたというエピソードはその典型だろう。お客さんとして単に商品やサービスを一方的に受け取るよりも、ある種の「参加者感」を得やすいといえる。そうすると、商品やサービスの提供者とお客さんとの関係がより深くなるのである。

ここまでは、ときがわカンパニーが行ってきたことを振り返ってきた。次項からは、現在、ときがわカンパニーが特に重視している「比企起業塾」、「本屋ときがわ町」、「ときがわカンパニー通信」という3つの取組を詳しくご紹介する。

●比企起業塾

最初に取り上げるのは、比企起業塾（以下、「起業塾」）である。起業塾は、なんといっても私の人生を変えたといっても過言ではない存在である。

今、地方圏では、高齢化とともに少子化が進み、人口の流出も相まって人口減少が急速に進んでいる。日本全体の人口が減少している現在にあっては、多くの自治体が地方への移住・定住を積極的に打ち出しているが、そのとき必ずといっていいほど直面するのが、「地方には仕事がない」という問題だ。

だが、これは厳密にいえば正確ではない。「地方には仕事がない」というときに問題となっているのは、実は求人がない、または求人が少ないということなのだ。

改めて確認すると、2016年の経済センサス活動調査の結果によると日本の全企業のう

比企起業塾活動報告会の様子

ち約９９．７％は中小規模の企業や事業所である。小規模事業所だけに絞ると全体の８４．９％だ。つまり、日本の企業・事業所の大半は中小企業・事業所ということである。

概して人口の多い都市ほど大きな企業が多くあるので、地方圏は中小企業の占める割合がさらに高いと推測される。地方圏にあるのは中小企業ばかりなので、当然雇用は限られるというわけだ。

そこで「起業」という選択肢が浮かび上がる。企業に雇われるのではなく、自ら経営者になるという道だ。「仕事がなければつくればいい」という発想である。第３章でときがわ町のさまざまな起業家に登場いただくが、仕事は自ら「つくり出す」ことができるのだ。

起業塾が取り組んでいるのは、まさに地域に「しごと」をつくる「ミニ起業家」の育成である。起業塾が育成を目指す「ミニ起業家」とは、以下のような性質を持つ起業家のことだ。

・雇われるのではなく、自ら仕事をつくる　↓　1社に依存せず、複数顧客をつくる
・従業員を持たない　↓　その代わり、仕事をお願いできるパートナー（仲間）を持つ。
　お互いが起業家として、依存しない協力関係をつくる
・年収300万円〜1000万円未満　↓　小さくても、長く地域で仕事ができる
・自分と家族を大切にする　↓　自分の健康や家族との時間、生活を大事にする

　2016年9月22日のときがわカンパニーのブログには、ミニ起業家育成を開始したことについて、以下のように記されている。


小さくとも、仕事をうみだしたい。関わる人に、対価が回るようにしたい。

若い人が、ときがわ町で、新しい働き方ができるようにしたい。

それが、私達の想いであり、夢であります。

ときがわ町にはファンが多くいます。

ときがわ町を気に入って移住してきた方々も大勢います。（代表の関根もその1人です）

ただ、ときがわ町で子ども達を育てる中で分かったのは、子ども達は、高校進学時に町から外に出ざるを得なくなり、それ以降も都会に出て行く子が多くなるという状況です。

子ども達にとっては、都会の魅力もあるでしょうが、ときがわ町には働き場所が少ないという現

実が大きく影響しているのでしょう。

もちろん、ときがわ町に子供たちを縛りつけたいわけではありません。

東京や海外といった、外も知ってもらいたい。

色々な場所を見て、経験した上で、それでもやっぱり「ときがわって悪くないよね」と戻ってこられるような。

そんな子供達、若者たちの受け皿を作りたい。

その時に「働ける場所」「稼げる仕事」は、現実的に必要になります。

そこで、大規模企業や工場誘致とは違う形で、町に雇用を生み出したい。

自分たちで仕事を創りだせる人を手助けしたい。

それがときがわカンパニーの想いです。


ここには関根さんの2つの思いが示されている。

一つは、ときがわ町に魅力を感じて、住んでくれる若者が住み続けられるような町にしたい。もう一つは、高校・大学のないときがわ町で、中学を卒業して町外に出た子どもたちが、安心して戻ってこられる町にしたいということだ。

ときがわ町で暮らすためには、日常生活の面だけでなく、仕事の面も合わせて考えなくてはならない。そのとき、雇用が限られる企業への就職ではなく、小さくても自分や家族を養うことができ、地域経済の循環につながるような仕事をつくるという選択肢をつくっていこうという趣旨である。

こうした思いは、２０１７年の起業塾開講とともに、徐々に実を結びつつある。これまで、２０１７年の第1期から２０１９年の第３期までを実施したが、合計１５人のミニ起業家（候補含む）が誕生している。いずれも既存の市場ではなく、身近な顧客候補の声を聞きながら、独自の「しごと」をつくり上げている非常に魅力的な起業家たちだ。

それぞれの事業内容は以下のとおりである。

- 飯島紘一さん（1期生）…サラリーマンを辞め、就農（ネギ、ハーブ類）
- 尾上美保子さん（1期生）…ときがわ町を主とした不動産会社を設立し、町に増えつつある空き家の活用と移住支援
- 工藤瞳さん（1期生）…病院の看護師をしながら、アロマを使ったマッサージや商品開発・販売
- 久保田ナオさん（1期生）…デザインとブランディングの視点を地域に持ち込み、比企地域のブランディングを目指す
- 青木江梨子さん（2期生）…野あそび夫婦というユニット名で、日本初のキャンプ民泊を開業

比企起業塾活動報告会

・菅沼朋香さん（2期生）…生活芸術家として、ニュー喫茶幻を運営

・袴田佳代子さん（2期生）…ハカマダ建具の新市場開拓、ペット建具

・福島だいすけさん（2期生）…ライター業、古民家民泊、養鶏業。ターゲットに応じて地域の情報を編集し、発信する地域の編集者

・風間崇志（私）（2期生）…公務員から起業

・Aricaさん（3期生）…比企地域を中心とした民俗学、伝承フォトグラファー

・ドレイパー愛さん（3期生）…動物と触れ合える場づくり、手ぬぐいワークショップ、布ナプキンの製造・販売

・仲間かなさん（3期生）…妊活コーチング、ママのためのプリンセス時間プロデューサー

・本家豊大さん（3期生）…ニュー喫茶幻、宇宙コーヒー、ニュータウンの御用聞き

・山口直さん（3期生）…ときがわ材の活用、ブランディング
・はしぞうさん（3期生）…都内に住みながら、ときがわ町に拠点を構え、山林の間伐や林業体験を提供する「ときがわ月イチ林業隊」を運営

4期目となる今期も、新たに5名の塾生が起業塾で学んでいる。これまた個性豊かな塾生ばかりで、新たな仲間が増えるのは嬉しいばかりだ。
また、講師陣も魅力的だ。塾長である関根さんのほか、塾生の頼れるアニキこと板橋区在住の林博之さん、「起業塾0期生」のような存在の栗原直道さんがレギュラーでサブ講師を務める。このほか、今期は数々のスタートアップ支援や地域での事業も多数手掛けた実績のある寄居町在住の清田享平さんが特別講師として加わった。地域で活躍する起業家と間近に接することができるという環境は、これから地域で「しごと」をつくろうとするミニ起業家候補の塾生にとって非常に心強い。

起業塾で学ぶのは、単なる知識やノウハウではない。関根さんやほかの講師の方々が事業を通じて実践してきたことを基にしている。毎回の講座では課題本を活用して、まず木から学ぶが、それに講師陣による実践知が付け加えられる。そして、今度は塾生たちが、それを参考にして自らの実践を重ねていくのだ。

講座の最後では、塾生たちは必ず次回に向けたベイビーステップを自らに課すことになる。それを次回までにやり遂げることによって、実践と実績と経験を積むことができる。そうすると、卒塾までに最低５回のステップを上ることになる。

実践しながら、着実に前に進んでいる実感が得られるし、何より「小さな成功」を積み重ねたことによって自信が得られるのが大きい。机上の学びだけでなく、実践や行動を伴う学びを重視するのが起業塾の特徴だ。

また、もう一つ注目すべきなのは、「仲間」というキーワードだ。起業塾では、塾生の心得として、以下の３点が重視されている。

・約束を守る（言ったことはやる）
・周囲に迷惑をかけない（面倒はかける）
・他者も応援する（まず自分を励ます）

約半年でたった５回の講座だが、このことを意識的に徹底することで、仲間同志の信頼感が醸成される。このことは、経営において最も大事な要素である顧客からの信頼を得ることにも通じるものだ。

起業塾の塾生たちは、学び、実践する中で、信頼と実績を積み、小さな成功を繰り返すことで、やがてそれが自信に変わっていくプロセスを経験する。そして、同時にかけがえのない同志、仲間を得る。行政や商工会などが主催する創業塾などに比べて、最大6人という非常に小規模な体制ではあるが、その分、密なコミュニケーションと行動が重視される非常に実践的な起業コミュニティなのである。

そして、そこで得られた仲間との交流は、卒塾後も継続している。期を経るごとに仲間が増えると、地域での活動がやりやすくなっていくような気さえする。同じ目線を持った仲間が増えるということもあるし、その仲間を通じた新たな人とのつながりが次から次に生まれるということもある。

起業塾生やその関係者を含むコミュニティが、今のときがわ町の「元気」を構成する一つの要素になっていることは間違いないだろう。起業塾は、まさに人が人を呼ぶという好循環を、ときがわ町やその周辺に生み出しているのである。

●本屋ときがわ町

2つ目に取り上げるのは、「本屋ときがわ町」である。

本屋ときがわ町が誕生するまで、ときがわ町にはいわゆる本屋さんがなかった。以前はあったらしいが、十数年前に廃業してしまったらしい。本が大好きな関根さんとしては、豊かな自然があっても、本屋がない町で子どもを育てたくないという思いがあった。

そこでスタートしたのが「ときがわ町に本屋を作ろう！プロジェクト」であり、それがさらに発展したのが2019年4月に始まった「本屋ときがわ町プロジェクト」である。

「本屋ときがわ町」とは、規模は小さくても、個性的な本屋をときがわ町にたくさんつくり、町全体を「一つの本屋」に見立てるというもので、ヨーロッパ発祥の「Book Town（本の街）」を、日本で初めてときがわ町につくることを目指している。そして、ときがわ町を「本を楽しむ人」が集える町にすることが目的だ。

毎月の第3日曜日に開催される本屋ときがわ町には、これまでいろいろな「本屋さん」が出店してきた。ビジネスや起業を専門的に扱う関根さんの「本屋ときがわ町ioffice店」のほか、絵本とハーブティーの専門店「移動絵本屋てくてく」、いろいろなジャンルの古本を扱う雑本屋「Full本屋」、旅と民俗学の「ノユーク」、無人本屋「くらんなか」、哲学本とベーグルの「manabana」、桶川市

本屋ときがわ町の出店の様子

本屋ときがわ町でのワークショップ

に住む詩人「Bikkuriponya」、寄居町のセレクト本屋「ネコオドル」など、実に多彩なラインナップだ。

普段は本屋を生業としていない個人が、本屋ときがわ町で「本屋さん」として出店できるのもおもしろい。とにかく本に関係してさえいれば、本がメインでなくとも小物の物販もＯＫなのである。

また、本屋に合わせて実施されるワークショップやイベントもユニークなものばかりだ。絵本セラピーや書道、手ぬぐいを使った手提げ袋づくり、キャンドルづくり、手作り製本、移住セミナーなど、これまでに関わった人や本屋ときがわ町で知り合った人のリソースを活かした企画が実施されている。

特に、その人がやりたいと思っていて、なかなかできないでいたようなことが実現する

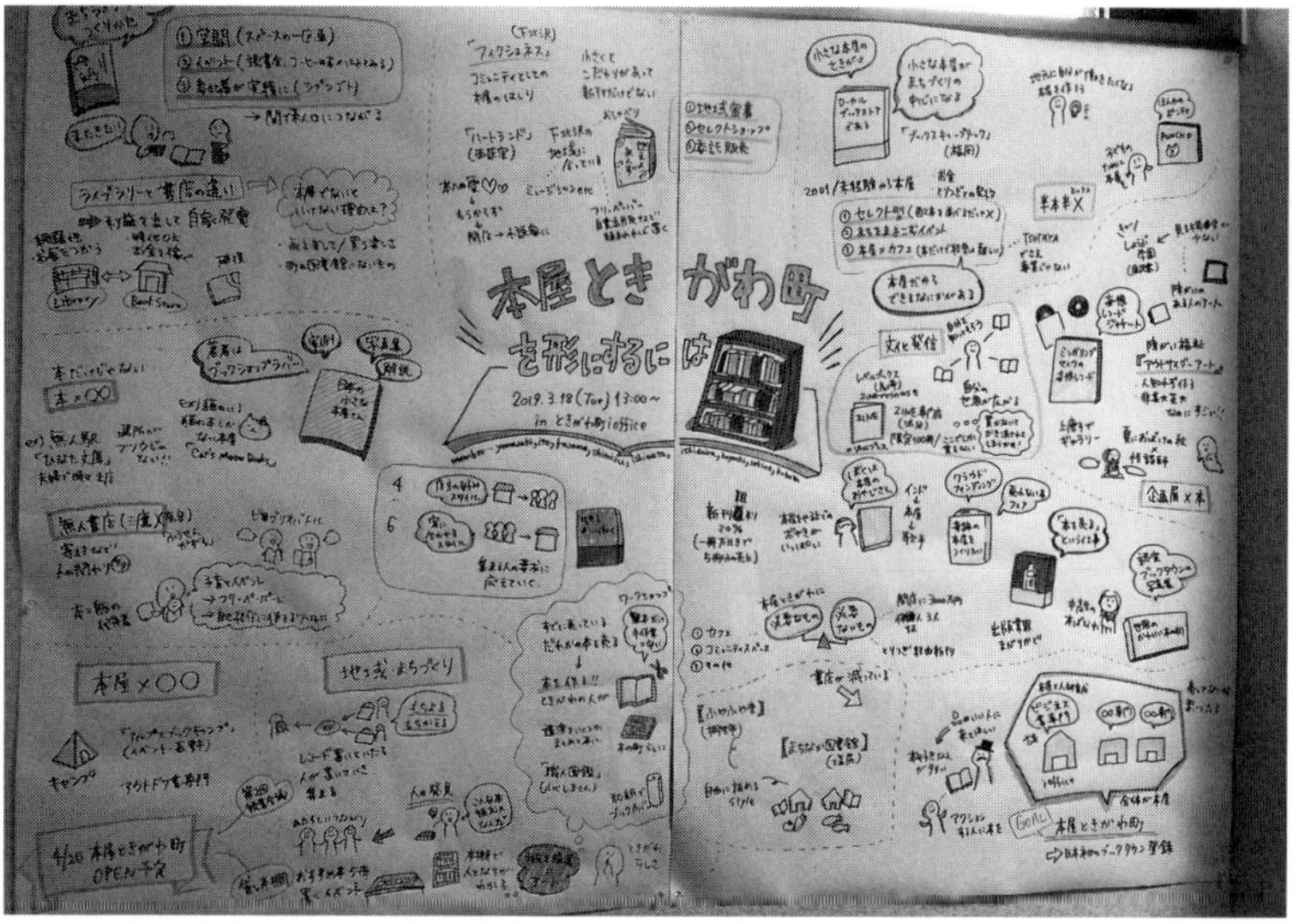

本屋ときがわ町の企画内容をまとめたグラフィックレコーディング

ケースが非常に多い。それも、ボランティアではなく、本人がやって楽しいことと、訪れたお客さんへの価値提供という「しごと」としての性質が強いということが大きな特徴ではないかと思う。

関根さんの前でポロッと「こういうことやりたいと思っているんですよねー」と口にしようものなら、「じゃあやってみない？」となる。もちろん人は選んでいるというが、その場で開催日を決めてしまうあたり、かなりの巻き込み力である。

私は、この関根さんの能力を、密かに「その場でしごとをつくり出すスキル」と呼んでいる。私が関根さんに初めて出会った時、妻の「しごと」をつくったあの能力である。思えばその能力こそが、私が強く関根さんに惹きつけられた理由なのかもしれない。

関根さんに出会うと、思いが形となって行動が加速していくのがよく分かる。関根さんと話すことで、自分の思いが明らかになるし、次の行動を約束することになるからだ。

その典型的な事例が、「移動絵本屋てくてく」を営んでいる小原さんだろう。小原さんは起業塾生ではないが、それと同じくらいの学びと行動を実践してきた人だ。彼女の起業ストーリーは、本屋ときがわ町と非常に密接に関わっているので、ここで少々ご紹介することとしたい。


小原さんが初めて関根さんのところに起業相談に来たのは2019年1月のことだ。ときがわ町内の保育園のお話会サークルに所属する中で、絵本のすばらしさを再発見した小原さんは、当初はサークルの友人と数年後にブックカフェをやろうと考えていた。そんなときに起業塾1期生の尾上さんに関根さんを紹介され、起業相談に来たのだという。

起業相談に来て、自分がやりたいことを話したり、寄居町の本屋「ネコオドル」の清水さんを紹介されて実際に訪問したりするうちに、やりたい本屋のイメージが頭の中の形にだんだんと膨らんでいった。

そして、30年間務めた福祉施設の仕事を辞め、清水さんの紹介で公立図書館にパートとして勤務し、本の仕事を学ぶ傍らで、絵本の取次店との契約やホームページを立ち上げるなど、着々と移動販売車の準備を進めていった。

そうして移動絵本屋てくてくがオープンしたのは２０１９年5月である。当初は5年後だった計画が、なんと起業相談からたった4カ月で創業してしまったのである。

移動絵本屋てくてくは、２０１９年6月から本屋ときがわ町のレギュラー出店者となっており、ioffice の前に停まる絵本とハーブティーの移動販売車は、今や本屋ときがわ町の看板的な存在となっている。

思いを形にしたのは小原さんだけではない。本屋ときがわ町は、いわばチャレンジショップ的な役割も果たしている。本屋としての出店だけでなく、前述したようなワークショップやセミナーという形での参加も歓迎している。

自分だけで一から企画し、集客するというのは大変だが、本屋ときがわ町での出店ということであれば負担は少なくなる。本屋ときがわ町の運営側にとっても、本を買う以外にもお客さんが訪れる理由をつくることができるのでＷＩＮ-ＷＩＮの関係というわけだ。

ワークショップやセミナーに参加するお客さんが、その前後で本を購入したり、本を買いに来たお客さんが飛び込みでワークショップなどに参加したりすることもある。なにより、本屋ときがわ町に人が集まっているということが、外から見て分かるというのが大きい。人が集まっていることで、見た人は何かやっているということが分かるし、行ってみたくなるからである。

また、人が集まる場所だからこそ、魅力的な人と出会える可能性も高くなる。個性豊かな出店者はもとより、そんな出店者のつながりから本屋にやってくる人も、おもしろい人が多い。町内から来る人ばかりでなく、町外、県外から訪れる人の割合が多いのも特徴だ。

時には、お客さんとして本屋ときがわ町を訪れた人が、次は出店者になるということもある。いや、むしろ常に出店者になりそうな人がいないか、関根さんは目を光らせているように見える。人と人をつなぐということを、意識的に行っているのだ。本だけでなく、そうした人との出会いも、本屋ときがわ町の大きな魅力である。

私も一人の本好きとして何より嬉しいのは、当初の「ときがわ町に小さな本屋を増やしたい」という目的が、徐々に成果として表れてきていることだ。移動絵本屋てくてくだけでなく、シェアハウスまちんなかの敷地内にある古い蔵を利用した無人本屋「くらんなか」も２０２０年にオープンしている。

また、２０１９年には、この後紹介する「ときがわカンパニー通信」の特別版を季刊で発行し、本屋ではないが本を読めたり買えたりするお店や場所を紹介するという企画も実施した。私が企画と取材を担当したのだが、取材を通してそのお店や場所を運営している方々と知り合ったり、それまで見過ごされていた本を新たに販売することにつながったりしたのは、非常に嬉しい出来事であった。

とにかく本屋ときがわ町は、いろいろな意味でチャレンジの場だ。それはオープンから1年半が経過した今でも変わることがない。いや、むしろチャレンジが加速している。

２０２０年３月には、毎月の第３日曜日といえば「本屋ときがわ町」というイメージを定着させるべく、ポスターとチラシを制作し、各所に掲示・配布した。２０２０年４月には、新型コロナウイルスの影響を受け、リアル店舗開催は一時休止し、インターネット上での初のオンライン開催とした。それによって、限られたローカルの場であった本屋ときがわ町が、いきなり世界に開かれたという出来事は非常に新鮮な体験であった。

本屋ときがわ町の構想段階から、今も運営をお手伝いしている私としては、本屋ときがわ町が今後も出店者と来店者の双方にとって、新鮮な出会いと驚きの場でありたいというのが願いである。そうしたところから、「人」と「しごと」の循環のようなものが生まれてくるのではないかと思うのだ。

人と人がつながることで、思いが伝わったり、実現したり、新たなチャレンジが生まれたり、「しごと」に形を変えたりして、いろんなものが循環していく。「自分もやってみたい」「できるかもしれない」と思えるし、それを「やっていいんだ」と思える。それが循環していく。

いわば、本屋ときがわ町とは、これから語るときがわ町の寛容性とか、「どうぞどうぞ精神」が具現化している場所なのではないかと思うのである。

●ときがわカンパニー通信

３つ目に取り上げるのは、ときがわカンパニー通信（以下、「ＴＣ通信」）である。ＴＣ通信とは、ときがわカンパニーの活動内容を報告するために毎月発行しているニューズレターのようなものである。

もともと、ときがわカンパニーの情報発信媒体は、ホームページやＳＮＳ、電子メールなど、電子媒体のみに限られていた。電子媒体は電話などでの問い合わせに比べて自分の時間をコントロールしやすく、チラシのようにコストや手間がかからないという利点がある。反面、インターネットに慣れていない人が多い地元住民の反応がわかりづらいという課題があった。

また、２０１９年４月から本屋ときがわ町プロジェクトを開始するにあたり、より多く

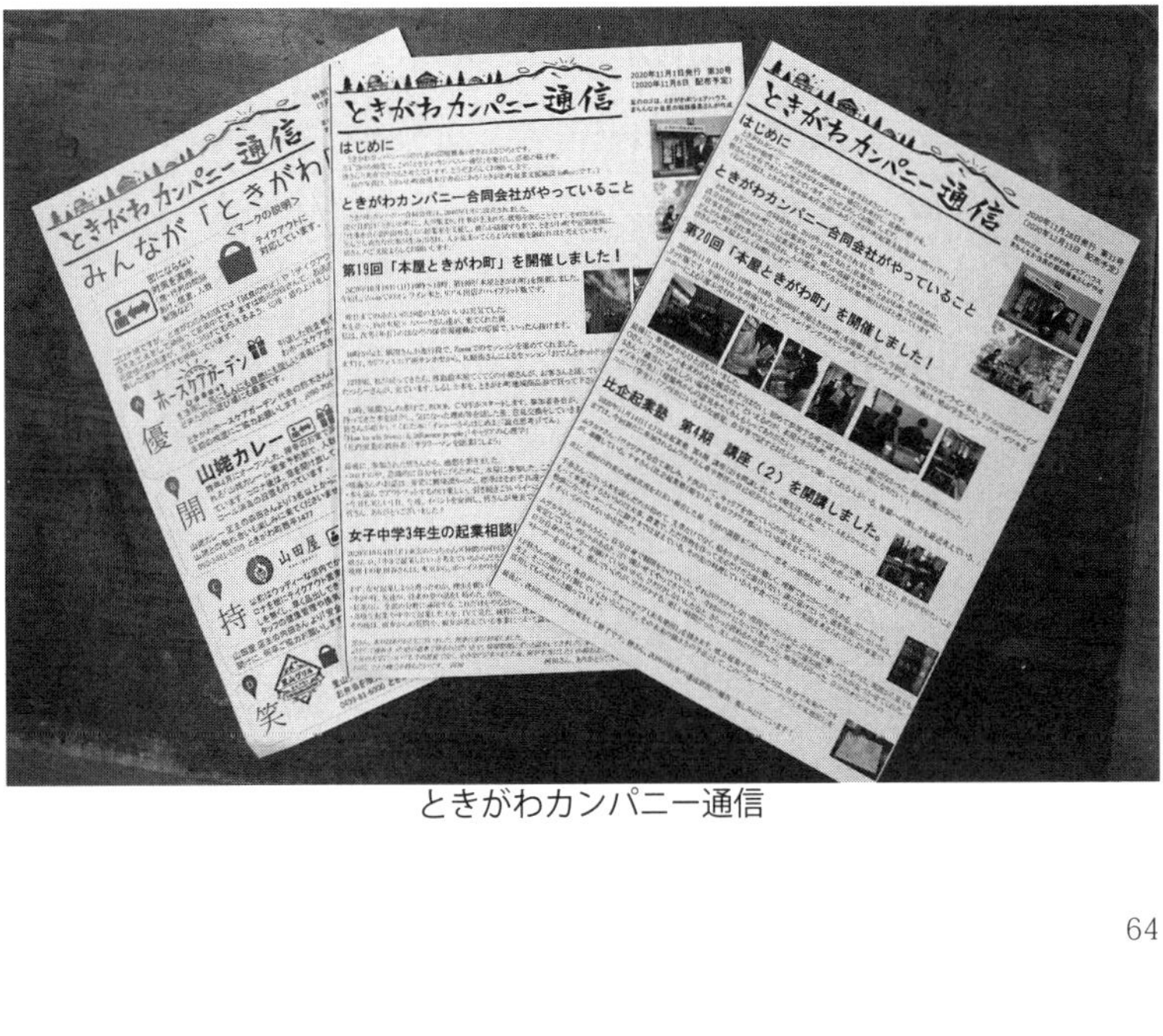

ときがわカンパニー通信

の住民に本屋ときがわ町のことを告知し、情報を届けるための手段として、紙媒体の告知ツールの必要性を感じていたこともあり、２０１８年１１月にＴＣ通信を創刊した。２０２０年９月までに定期版を２８号、特別版を5号発行している。ときがわ町と鳩山町、坂戸市の一部の地域に、約５０００部を新聞折り込みにより配布している。

継続してきた甲斐あって、徐々に読んだ人からの反応も得られるようになってきた。関根さんが散歩中に声をかけられることもあったり、ＴＣ通信で紹介されたときがわ町在住の起業塾生が、近所の人から声をかけられたりすることもある。なかには、毎月の発行を楽しみにしている人もいるそうで、第1号からまとめてファイルに保存していると話してくれた人もいた。こうした町内の人の反応は、関根さんにとっても起業塾生にとっても非常に嬉しい効果である。

ＴＣ通信のもう一つの成果としては、町内で活躍する人と人とが出会うきっかけにもなっているという点だ。その一つの事例が、先に触れたＴＣ通信のロゴの件だ。

あるとき、ＴＣ通信を目にした町のシェアハウスの住民が、ioffice に関根さんを訪ねてきたことがあった。ＴＣ通信のロゴが「ダサい」ので、デザインをさせてくれないかということだった。

彼女は、プロのデザイナーではないが、好きでロゴのデザインを独学で学んでいて、アルバイト先のカフェでもメニュー表や看板などの文字デザインも担当してきたという。

そこで発動したのが、関根さんの「その場でしごとをつくり出すスキル」である。その場でTC通信のロゴを彼女に正式に依頼した。それだけでなく、その後も、本屋ときがわ町の看板や幟のロゴなども相次いで発注したのだ。

関根さんは、事業を行う上で、こうした「余白」を生み出すことを心掛けているように思える。余白とは、「関わりしろ」ということで、誰かが「関わりたい」と思えるような隙のことだ。隙には「つい手を出したくなる」引力がある。

完璧というのは、完成されているので当然、見た目もきれいで手を加える余地はない。確かに外から見て感動したり憧れたりするかもしれないのだが、あくまでお客さんとして外から眺めているだけの関係である。

それに対して「関わりしろ」となる隙があると、好ましさとともに、自ら関わってみたくなり、単なるお客さんを越えて「参加者感」「当事者感」を得ることができるのだ。

また、TC通信で人やお店が紹介されることで、読む人はそれまで知らなかった人やときがわ町の新たな魅力の発見につながるし、紹介された人も自尊心がくすぐられる。それには紙というリアルの存在感が大きいだろう。インターネット上だと、目にしてはいても情報が多いのでどんどん流されてしまうが、紙は物質としてそこにあるので、気になった時に手に取ってじっくり読めるというわけだ。

ときがわカンパニーでは、日々いろいろなことを手掛けているので、TC通信を見ても

「いまだに何をやっているのかよくわからない」と言われることもあるそうだ。だが、ＴＣ通信を発行することで、少なくともときがわ町にはときがわカンパニーという会社があって、一生懸命やっているということを多くの住民に知ってもらうチャンネルとなっていることは確かである。

（６）「しごとをつくる人」を育てるために

ときがわカンパニーの起業相談や比企起業塾の活動の様子を耳にして、ある人が次のようにコメントした。

「ときがわカンパニーの発想は、その相談相手が、何をしたいかを探り、どうしたら実践できるかということ。これは、他の地域にも参考になるのではないか。」

本書は、あくまで今ときがわ町で起こっていることを書き留めたものであるが、他の地域において少しでも参考になるとものとするために、ここで改めて、「しごとをつくる人」を育成するためにはどうしたらいいのかについて、関根さんと対談形式で整理する。

＝＝＝

風間：先ほどのコメントで頂いたような、相手から引き出そうとする発想は、どこから生まれてくるのでしょうか？

関根：「人の可能性を信じている」からでしょうね。それを、なるべく邪魔しないよう、手助けできたらと考えています。

風間：具体的にはどんなことを心掛けて実践しているのですか？

関根：比企起業塾の運営や起業相談に乗るときは、３つのことを心掛けています。「相手本位な姿勢」「お客づくり重視」「ｐＤＣＡで、内省・精神支援」です。

風間：一つずつ、ご説明をお願いします。

関根：はい。まず「相手本位な姿勢」というのは、できるだけ相手の立場に立とうと努力することですね。本当に相手の立場に立つのは、正直難しいのですが、できる限りそうしようとしています。そうしないと、ついつい上から目線になったり、経験者としてダメ出しをしそうになったりしてしまうからです。比企起業塾で一緒に講師を務めている林博之さんは「寄り添う」という言葉を使いますが、まさにそんなイメージです。

起業相談に来る方や比企起業塾に参加しようとする方は不安を抱えています。身近に起業経験者はほとんどいないでしょうし、周囲からは「起業なんて危ないからやめておきなさい」「安定が一番」と反対されることが多いはずです。起業相談に行くといっても「事業計画があるわけではないし、こんなフワフワ、モヤモヤした状態で行っていいのか」と躊躇される方も多いです。相手はそんな状況や気持ちでいるんだということを、まずは理解することを大事にしています。

実際、起業相談に来た方には、相談が終わると「もっとおっかない雰囲気かと思ってました」「話しやすくて、安心しました」ということをよく言われます。

風間：確かに一般的な起業相談だと、年配の男性が金融や経営の専門用語を使って話をしてくる固いイメージはありますね。

関根：はい。経営という観点でいえば、2つ目の「お客づくり」を起業相談や比企起業塾では最重視しています。一般的な起業相談では、いかに金融機関から融資を得るか、つまりお金を準備するかという話が多いのですが、私たちはそういう話はほとんどしません。どちらかというと、手元にまとまったお金がなくても始められる事業を考えてもらいます。ミニ起業家ですから「小さく始めて、大きくせずに、長く続ける」ことを大事にしているのです。

お金を出してくださるのはお客様ですし、長く続けるためにもお客様との関係性が必要ですので、常に「お客づくり」の話をしています。そのために必要な考え方が「ランチェスター戦略」ですので、それを皆で学び、実践しています。

風間：私も比企起業塾2期生時代によく言われました。この「お客づくり」の大切さと大変さは、組織の外に出ると改めて実感しますね。

関根：まさにそうだと思います。

風間：3つ目の「pDCAで、内省・精神支援」というのは?

関根：はい。先ほど一般的な起業相談では融資をいかに得るかという話が多いと言いいましたが、このタイプの起業相談はいわゆる事業計画を重視するわけです。PDCAの

「Ｐ（Plan）」の部分ということですね。ここが大きくて、実践のDoの部分は小さい。いわばＰｄＣＡになっているんです。Doの部分は起業家任せ。成功しても失敗しても、それは本人の問題と見られがちです。

それよりも私は、Planは小さく、スモール「ｐ」で、まずはDoで動いてみることが大切だと考えています。「リーンスタートアップ」の考え方ですね。

そのうえで、起業相談や比企起業塾では、Check（ふり返り）とAction（次の行動）を重視しています。実際にDoで動いてみてどうだったのか、お客様の反応はどうだったか、などをふり返ってもらうのです。それが、人材育成理論でいうと「内省支援」となります。起業しようというぐらいですから、ほとんどの方が積極的、行動的なので、あえて立ち止まってふり返ってもらっているのです。

比企起業塾卒塾後、起業相談に来られる方も多くいますが、彼・彼女らは、自分で突っ走る中で「これで大丈夫か?進む方向は間違ってないか?」を立ち止まって確認する機会として、私たちとの面談を活用してくれていますね。

風間：確かに、無我夢中で突っ走っている最中だからこそ、立ち止まって振り返る機会をつくることは重要ですよね。そうしないと現在の立ち位置がわからない。正しい方向に進んでいるのか、そうでないのか。

では、「精神支援」とはどういったものですか？

関根：はい。これも人材育成理論の用語なのですが、「精神支援」とは気持ちに安心感を与えるような働きかけのことです。

ミニ起業家になることで、組織に属さない孤独を感じたり、「この方向で間違ってないか」などの不安を感じたりします。そういう時に、同じ立場のミニ起業家として、そして少し先行く先輩として「大丈夫だよ。ちゃんと見ているし、方向は間違ってないよ」と伝えて、励ますことが大切なのです。これも「寄り添う」につながります。

風間：私も書きましたが、やっぱり比企起業塾で得た大きなものは「仲間」だと思います。その中には先輩起業家の方々も含まれていて、他の起業家の方々との接点ができたことで気持ちの安心感につながりました。

関根：はい。日本国内においては、起業に縁がない人「起業無縁者」が、8割以上ですから、少数派の私たちミニ起業家同志のつながりは大切にしていきたいです。

風間：本当にそうですよね。ここまでの話をまとめると、「しごとをつくる人」を育てるためには、相談に乗る側が「相手本位な姿勢」で、なんといっても「お客づくり」を重視。小さいｐの「ｐＤＣＡで、内省・精神支援」を行うということでした。

　このように支援してくれる方がいるからこそ、私のように後からやってきたミニ起業家やミニ起業家候補の方々が、安心して、思い切り自分の事業に取り組んでいけるのではないかと思います。

　ありがとうございました。

シェアハウスまちんなか
文：青（比企起業塾４期生）

　ときがわ町にはシェアハウスが建っている。

　「シェアハウス」というと今どきの、軟派なイメージをされることも多いが、築 120 年の古民家を改修した趣のある建物だ。来訪してくれた友人は「いい意味で裏切られた」、「なんか落ち着く場所だね」と口々に言う。

　管理は町役場が行っており、定員は 6 名で年齢制限は 20・30 代、入居期間は 3 年と定められている。若い移住者を増やすための一施策らしい。字面だけ拾うとドラマ顔負けの設定だが、実情は暮らすための場所だ。それぞれが異なる日常を過ごしている。世間で想像されるよりもずっと淡白な生活を送っていると思う。

　それでもあえていうなれば、このシェアハウスには回転寿司屋のような要素があるように思う。どういうことかというと、ときがわにかかわる人・モノ・コト、と言った何かしらの〝ネタの乗った皿〟がシェアハウスに回ってきているようなのだ。

７４ページへ続く

７３ページから

別の場所まで取りにいかずとも目の前まで皿がやってくるが、手を伸ばさないとフラットな毎日に戻っていく。取らなかった皿とは今生の別れというわけではなく、しばらく経つと似たような皿が回ってくることもある気がする。その手軽さも回転寿司とよく似ている。

その証拠に、住人が別のタイミングで町にかかわる同じ人と知り合っていることとがままある。人口が少ない町だから、住人の自発的な行動の結果だ、と言ってしまえばそれまでだが、アパートでの一人暮らしでは起こりえない小さな波がちらほら発生している。

このような不思議な地域との繋がりはなぜ起こるのか、本書を読んで勝手に腹落ちした。ときがわ町の新しい政策を受容する姿勢やどうぞどうぞ精神が、シェアハウスにも少なからず流れてきていると思ったからだ。

押し付けではなく、本人が望めば力まず何かを生み出す活動に携われる。よそ者を排除する姿勢はないが過剰に歓迎もされない。シェアハウスのこのような間口の広さは町の風土と切り離して考え難い。

ただ、地域への思いは一朝一夕で醸成されない場合も多いはずだ。回ってくる皿にしっくりこないと感じるケースや、皿を手に取らず３年が過ぎ去るケースが今後出てきてもおかしくない。住人の思いは町に囚われず広がっている。それぞれの意見を否定・拘束しないスタンスが自発的で生きた活動を誘引するとも思う。人がいて地域が成り立つと考えれば、各々にとって心地よい暮らし方を見つけるのが先決だ。その先に町とのかかわり方が見えてくるのだろう。

正直、住人の皆様と十分な信頼関係が築けているかわからない中でこのような主張をするのは差し出がましい気もしている。それでも確実に言えるのは、シェアハウスは町の気質を幾分含んでいること、自分と地域のつながり方を模索するための、希少な機会を提供しているということだ。私にとっての心地よい暮らしを見出した先に、ときがわ町と交わる何かがあればいいなと私は思うし、そうありたいと願っている。

第2章
ときがわ町をつくってきた人たち

（1）ときがわ町のはじまり

現在、ときがわ町では、たくさんのミニ起業家たちが活動している。彼らの活動によって、「人が集まり、仕事がうまれる」状態が実現しつつある。これは、ときがわ町には新たな人を受け入れたり、新たな仕事を創ったりしやすい環境がある、またはそういう環境に変わってきたということではないだろうか。

しかも、自分が関わったことで変化が生まれてくることが実感できることが大きい。私がときがわ町に魅力を感じるのは、まさにここである。自分が関わることで、いろいろな人との関わりが生まれたり、新たなアイデアが生まれたり、それが形になったりするということが、充実感ややりがいを与えてくれる。そのような人が関わる受け皿のようなものが、ときがわ町にはあると感じられるのだ。

このような環境が、ときがわカンパニーの出現によって急に生まれたのかといえば、決してそうではないだろう。もちろん、ミニ起業家の育成ということにおいて、ときがわカンパニーが果たしている役割は非常に大きい。それに触発されていろいろな変化が起こっていることは否定できない。

だが、関根さんがときがわ町への移住を決めたのは、「オープンだと感じた」ことが大きな理由だった。つまり、関根さんが移住してきた頃には、すでに「『しごと』をつくる人」

を受け入れてくれる土壌のようなものが存在したのだ。

「オープン」とは外に開かれている、外からのものを受け入れてくれるということで、ヨソ者にも寛容だということだ。このようなオープンさ、寛容性がときがわ町に育まれてきた要因はどこにあるのだろうか。

そこで、本章では、ときがわカンパニーが誕生する以前から、ときがわ町でさまざまな活動を行ってきた人たちに焦点を当てる。冒頭で触れたように、ときがわ町は平成１８年（２００６）に誕生した新しい町だ。その前後から現在までに至る彼らの動きを振り返ってみることで、ときがわ町が備えている特性が見えてくるに違いない。


まずは、ときがわ町が誕生してからの出来事を概観する。ときがわ町は、平成１８年２月１日の旧都幾川村と旧玉川村の合併によって誕生した。いわゆる平成の市町村合併によってできた町である。歴史は比較的新しい。この頃に合併した市町村は多いが、その中でもときがわ町は合併の「成功事例」といわれてきたそうだ。どんなところが「成功」だったのだろうか。

これには、ときがわ町初代町長の関口定男さんによるところが大きい。ときがわ町が誕生して今年で１５年目だが、関口さんが町長を務めたのは、２００６年２月から２０１８年２月までの１２年間である。そのため、これまでときがわ町でどんなことが行われたきたのかを知るには、関口さんが町長として行ってきたことを振り返ることが大いに役立つだろう。

温故知新という言葉があるように、「現在」という時間は決して「過去」という歴史を抜きには存在しえない。「現在」起こっている変化も、「過去」との比較によってしかとらえられないし、「過去」を知ることで、「現在」をより強く意識し、色鮮やかに切り出すことが可能となる。そして、そのことによって、「未来」を思い描くことも可能になる。

これまでのときがわ町を顧みることで、現在、この町に起こっている変化を明らかにし、今後の未来を展望するための基礎としたい。

ときがわ町風景（雲河原より撮影）

２ 関口定男

前ときがわ町長

後世に引き継げる町をつくるための改革

関口定男さんが町長時代に成し遂げてきたさまざまな取組は、ときがわカンパニー発行の『小さなまちの改革』に詳しい。その書籍は、新聞社の記者が1年にわたって行った関口さんへのインタビューをまとめたものだ。書店での販売はしておらず、ioffice で手づくり製本した冊子で、ここでしか買うことができない。『小さなまちの改革』で紹介されている関口さんの実績は、簡単に整理すると以下のとおりである。

・内装木質化による小中学校の改築
・町内全域で光ファイバーの整備
・子どもの医療費無償化
・中学3年生のインフルエンザ予防接種無償化

・自治体財政におけるバランスシートの導入

一見してわかるように、「子ども」に関するものが多い。２０１８年６月に、日本経営合理化協会が発行した『ＣＤ経営塾』の中で、関口さんは次のように語っている。

子どものための政策をやっても、票につながらないからやらないという政治家がいるが、私は逆だと思う。子どもたちが喜ぶと、家族全員が喜ぶ。何よりも将来のある若い人たちのために政策を実行するのはとても重要なことだ

光ファイバーの整備も、実は高校生のある一言が原因だった。

「光ファイバーがない町になんかもう住みたくない！」

この言葉に関口さんは非常に大きなショックを受けた。人によっては、単なる高校生のわがままだ、と聞き流してしまったかもしれない。でも関口さんは違った。

「これからのときがわを背負っていく若い人が住みにくいと思う町ではダメだ」

このままでは、子どもに町が見放されてしまうという強い危機感を抱いたのだ。

今でこそ光ファイバーは日本全国どこでも使えるのが当たり前になっているが、10数年前では事情がまったく異なる。近隣の市部ですら、光ファイバー網が十分にいきわたっていなかった。ましてや、7割が森林であるときがわ町で使えたのはADSLのみ。それすら十分でなく、インターネットに加入できない住民もいたのだ。

すぐさまNTTに相談したが、光ファイバー整備の予定を立てることさえ、想定されていなかったという。それを町が自らやろうというのだから当然、莫大な財政負担が必要になる。それでも迷わず即決したのは、将来の担い手の流出に対する危機感がそれだけ強かったからなのだ。

また、小学校6年生までの子どもの医療費を無償化した際には、近隣市町村の首長から抗議の電話を受けたこともあった。ときがわ町だけ子どもの医療費が無償化されてしまうと、近隣市町村でも住民からの要望が上がるだろうと思われたからだ。

だが、それらの自治体の中には、数十億円をかけて老人ホームを建設したところもあった。それに対して、医療費の無償化にかかる財政負担は、年間約600万円。老人ホームは建てられなくても、子どもの医療費を無料にすることはときがわ町にもできる。小さい町だからこそ決断できた選択と集中の差別化戦略だったのである。

余談だが、今では中学卒業時まで医療費を無償にしている市町村は多い。ときがわ町の事例がもとになって広がったものだ。関口さんは、全国の自治体に先駆けた取組をときがわ町で実施してきたのである。

全国に先駆けた事例はそれだけではない。国の省庁や地方自治体でどこもやっていなかったバランスシートを行政にも導入したことも大きな実績の一つだ。それによって、役場の職員にコスト意識を持たせることが狙いだ。バランスシートも、今や全国の自治体が取り入れている。また、職員の意識改革にも取り組み、住民へのサービス意識も徹底した。真っ先に手掛けたのは、役場を訪れる人への挨拶だ。「あいさつは相手より早く、お礼・お詫びは早く、できない理由を探さない」と書いた紙を、全職員に配布し、デスクマットの下に入れたのだという。コミュニケーションをとる前にまず挨拶から始めるというのは当たり前のことのようであるが、当時は、その挨拶も当り前ではなかったのである。

挨拶は最もローコストにできる改革であり、挨拶された側も悪い気はしないし、むしろ好感を抱く。何より挨拶した本人も気持ちよく仕事に取り組めるというのが関口さんの持論だ。関口さんは町長時代に、よく役場から出てきた人に「職員の対応はどうでしたか?」と聞いていたそうだ。最初は反応がなかったが、続けるうちに「良かったよ」に変わり、さらに「とても良かった!」と評価が上がるのを目の当たりにしたという。

関口さんが町長時代に常に意識していたことは、「イノベーション」「オリジナリティ」「ローコストマネジメント」の３つである。これは、慶応義塾大学名誉教授である村田昭治氏の「企業経営の真髄」の教えだ。

実は、関口さんは、ときがわ町が誕生する前の旧玉川村時代も、１９９９年から村長を務めていたのだが、それ以前は企業の経営者でもあった。町長になって手掛けてきたことは、まさしく町の経営者として、次の世代にどういう町を引き継ぐかを見越したものだったのである。

このようにして、関口さんは在職した１２年間に、矢継ぎ早に改革を起こしていった。それによって、ときがわ町に２つの変化があったのではないかと私は考えている。

一つは、誕生したばかりのときがわ町に、地域外からの注目が集まったことだ。関口さんが成し遂げたことを見ると、「全国初」とか「埼玉県初」という冠のつくものが多い。いわゆるファーストペンギンというやつだ。

ファーストペンギンは、良くも悪くも注目を浴びる。当然、マスコミにも多く取り上げられることになる。そのことによって、町外から取材を受けたり、人が訪れたりするうちに、ときがわ町に外の人間の視点が入りこむ。すると、地元の人々の中にも「もしかしたら、自分たちの町はすごいのかもしれない」というプライドが芽生えることになる。

また、それと同時に、外から来た人とうまく付き合う術を獲得していくことにもつながった。たとえば観光客に対応するうちに、彼らが期待していることがわかり、どうしたら喜んでもらえるかを考えるようになる。メディアの取材に対しては、自分の町のことをしっかり答えられるようになるなどだ。慣れということもあるだろうし、彼らと接触するうちに彼らから見たときがわのイメージを自らの中に取り込んできたということもあるだろう。

そして二つ目は、変化に対する耐性の獲得だ。ときがわ町が誕生して、「何かが起こりそう」「何かが変わってきている」と町の人たちが思えるようになったということだ。そもそも人間は変化を嫌う生き物ともいわれている。変わらない方が楽だからだ。だが、ときがわ町誕生の初期から立て続けに変化を繰り返し、しかも外からの注目を浴びることで、「変わるのも悪くないかも」という雰囲気が町の中に生まれたのではないだろうか。

人口減少もリスクだが、誰もチャレンジをしなくなるというのはそれ以上のリスクだ。「今までもこうだったらからこのままでいい」と変わらないと決めることは、成長をあきらめるということである。町のトップリーダーたる町長が成長をあきらめず、先頭に立って変化を生み出し続ける姿勢を示したというのは、町の未来を考える上で非常に大きい。変化を容認する態度が、「チャレンジしてもいい」「チャレンジしたい」という機運につながってきたのではないか。

そういえば、地方でよくありがちな「うちの町には何もない」というセリフを、ときがわ町ではほとんど聞いたことがない。「ないのがいいんだ」という人もいるし、「ないならつくればいい」という人もいる。現状のときがわ町を肯定的に受け止めているのだ。外からの見られ方や変化への耐性が、個人の中に染みついているからこそではないかと思う。

要は、「ときがわ町は良い変化が起こっているまちだ」という町への愛着と誇りが感じられるのだ。まちづくりをする上で、地元に愛着と誇りを持てるようにするというのは、どこの地域でも真っ先に挙げられる重要ポイントである。それがすでにあるというのは、ときがわ町の強みといえるだろう。

（3）ときがわ活性会とArtokigawa

前項で取り上げた前町長の関口さんの取組を「官」の動きとすると、次に気になるのは「民」の動きである。ときがわ町のこれまでの「民」の動きとして、ときがわ活性会の取組を無視することはできないだろう。

ときがわ活性会（以下、「活性会」）とは、絵画や工芸、音楽、食などの地域のいろいろな分野で活躍している有志による任意の団体である。掲げているビジョンは、「自然・人・アートの融合」で、アートを中心とした地域おこしの推進をメインテーマの一つとしている。

活性会の象徴ともいえるイベントがある。平成27年（2015）にスタートした「Artokigawa（あ〜ときがわ）」である。「Artokigawa」とは、Art（アート）とtokigawa（ときがわ）を合成した造語であり、ジャンルにとらわれない創作・工芸アート、音楽アート、食のアート、そして数多くの楽しいワークショップなど、あらゆるアートに関連する活動を結集したイベントだ。

Artokigawaは、第一回は自然豊かな同町大野地区の廃校になった旧大椚第一小学校で、第二回以降は大野くすの木センターで、毎年4月（土日二日間）に開催されてきた。センターのある場所は、廃校になった旧大椚第一小学校があった場所だ。山の上のさらに小高いところから、あたりを見渡すことができる。新緑に花桃の華やかな桃色が美しい。参加者は目・耳・手・

Artokigawa イベント風景

舌などの五感を通じて、アートとときがわを楽しむことができる場になっている。第6回が予定されていた2020年は、残念ながら新型コロナウイルスの影響を受けて中止となった。今後どのような形で開催できるかということは大きな課題だ。

ここでなぜArtokigawaを取り上げるのかというと、このイベントがときがわ町の多様性を象徴するイベントではないかと思えたからだ。アートを切り口としているだけに、ロゴもチラシもポップでカラフル、見るからに今どきの若い人たちが好んで企画しそうなイベントだが、そもそもの始まりは、60代も後半に差し掛かった人物の着想に端を発していると知ったら驚くだろうか。その人物こそが、活性会の会長である西澤明彦さんである。

ここで、西澤さんご本人に登場いただき、活性会やArtokigawaに込めた思い、ときがわ町の今とこれからへの思いをうかがった。

④ 西澤 明彦

ときがわ活性会長

邪魔をされたり、足を引っ張られたりしないから、自分がやりたいことにチャレンジできる

西澤さんは、１９４３年、旧都幾川村（当時は明覚村）で生まれた。町外の高校、大学に通い、町外で就職したが、その間も大学時代に一時離れた以外はずっとときがわ町で暮らしていた。明らかになっている限り、延暦時代から続く家柄で、その３０代目にあたるそうだ。最近リフォームした家は、明和５年（１７６８）正月に建てられたもので、築２５０年を超えていたという。

「アート」を切り口として地域を活性化しようと考えた理由は非常にシンプルである。西澤さん自身が長年、油絵をやっていたので、それを活かして何か町を元気にするようなことをしたいと考えたからだ。金融関係の会社に勤めており、プロのアーティストというわけではない。本人は「下手の横好きでやってきただけ」と笑う。だが、長年続けてきて単なる趣味という範疇も超えていた。地区の文化祭のような趣味の延長としての公民館活動では物足りなくなってきていたのも事実だ。

そこで西澤さんが考えたのは、公民館活動ではなく、プロのアーティストも呼んでビジネスにつながるような催しができないかということだった。いろんなアートを集めて町外から訪れる人が増えれば、アートで町を元気にすることができるのと考えたのだ。西澤さん一人ではなく、水彩画などをやっていた仲間と一緒に考えたものだが、最初から地域のためにということではなく、あくまで個人的な思いから動き出した試みだったのは興味深い。

そして、行政とはまったく関係のない、個人同士のつながりから生まれたアイデアだったというのも注目すべきポイントだ。行政が関係するような催しごとの場合、「みんな平等・公平」が求められ、特定の人のつながりに依存することは難しい。活性会は、行政からも誰からも頼まれたわけではなく、完全に個人的な動機から始まっているため、何をするにも自由なのである。

ただし、自由である反面、責任も大きい。何かを決めるときはもとより、何かアクシデントがあったときの責任やクレームへの対応なども、すべて自分たちが負わなければならないからだ。

西澤さんは、足を引っ張る人がいるというのは聞いたことがないという。だが、これはすべての人が諸手を挙げて賛成ということでは決してない。意に沿わなければ反対したり、賛同しなかったり、あるいはただ見ているだけだったりすることはあるだろう。しかし、個人の自由でやっている分には、すべて個人の責任においてやっているということだ。だから利害関係のない人間が無責任に邪魔をしたり、足を引っ張ったりすることはない。それがお互いさまだとみんな分かっているからである。

邪魔をされたり、足を引っ張られたりしないから、自分がやりたいことにチャレンジできる。西澤さんにとっては、活性会の活動やArtokigawaはチャレンジそのものだ。無理に一つにまとめようとするのでも、アートこそがときがわ町の地域活性化の唯一の手段といいたいわけではない。自分自身が油絵が好きで、周りにアートが好きな人がいて、その人たちがそれぞれの楽しみ方で、アート作品を発表できる場をつくろうとしただけなのである。

毎月開かれる活性会の会合では、芸術に関すること以外にも、農林業や木工などの地場産業、観光、移住・定住の促進に関することまで、地域の活性化に向けて、さまざまな視点から話し合われ、多くの提案が出される。会合には3つのルールがあるという。

①発言は自由。ただし、他人の意見や考えを非難、否定しないこと。
②行政に施しを求める内容は避けること。
③「自分たちでできることは何か」を中心にすること。

ここには活性会のスタンスがよく表れている。人の話を否定せず、自分たちで何かを起こそうとするからこそ、活性会には地域に関わるさまざまな分野の有志が集まってくる。町内に住む人だけでなく、町外に住んでいても町内に工房を持っている人やこれから工房を構えたいと考えている人も参加している。彼らの多様性がそのまま事業に活かされているのだ。

その象徴のような取組が、活性会設立の翌年からスタートしたArtokigawaである。Artokigawa のWebサイトでは、イベントの趣旨が次のように述べられている。

「人と自然の優しさにふれるまち、ときがわ」という町のキャッチフレーズにあるように、緑と清流に囲まれた自然の良さ、首都圏に最も近い田舎という地理的条件の良さ、伝統の建具細工の技術者が多く住んでいる、さらに気が付くと多くの芸術家が移り住み、工房を構えて活躍している等々から、このようなこの町の長所を生かした取組がよい、ということになりました。

アートでまちおこしというのは近年よく耳にするが、そういった流行りに乗ったものではなく、きっかけはあくまで個人発の着想からであった。それに地域の特性を織り交ぜ、さまざまな人との協力で成り立ってきたということが分かる。

Artokigawaの構想自体は、実は平成8年からすでに西澤さんの中にあったものだ。だが、それから20年以上が経ち、活性会でさまざまな人と語り合い、関わる中で形を変えてきた。中にはサンショウ栽培のように、活性会とは独立した組織が生まれ、独自の活動に発展している取組もある。だからArtokigawaや活性会の活動はもう、西澤さん個人のものではなく、関わるみんなのものになっているのだ。

Artokigawaが軌道に乗った今でこそ、西澤さん自らが先頭を切って行動することは少なくなったが、依然としてその存在感は大きい。活性会の会員であった、現ときがわ町長の渡邉一美さんいわく、「ときがわ町のスーパーマンのような存在」である。だが、そのことを伝えると、当の本人は「ア・マン（a man、ただの一人の男）だよ」と言って笑った。

西澤さんをよく知る活性会のメンバーは、口をそろえて「非常に温厚な方」と評する。この後に登場する、副会長の谷野さんは、「うるさいことも言うけど」と笑いながら前置きしつつ語る。「年長者にありがちな押し付けは絶対せず、メンバーが好きなようにやらせてくれるし、やりやすいようにしてくれる。任せられたメンバーも、そのことを粋に感じて、期待された以上の成果を上げる」。

Artokigawaから感じる発想の「若さ」の秘密は、このあたりにあるのかもしれない。イベントのそもそもの着想自体は西澤さんのものだったとしても、自身の考えに固執して周りに押し付けるのではなく、関わるメンバーが好きなことをやれる雰囲気をつくり、メンバーが主体的に関わっていくことで今の形をつくり上げてきたのだとすれば納得がいく。

そもそもそういう雰囲気がなければ、今のような多様なメンバーが集まってくることはないだろうし、イベント自体もありきたりのものになっていただろう。寛容さが人を引きつけ、主体性を育て、創造性を発揮させせてきたのである。

西澤さんは、「一人の力ではなく、皆さんの協働で成り立っている」と強調する。会員一人一人やそれに関わる行政の方、協力者など多くの方との協働でこれらの活動が成り立っているのだ。

多様な属性を持つ会員が集まったおかげで、Artokigawaは「アート」という大きなテーマのもとで、内容は絵画あり、工芸あり、音楽あり、食ありと非常に多様である。また同時に、訪れる人の多様な関心の受け皿にもなっている。これは紛れもなく、西澤さんたち活性会の会員みんながつくりあげてきた、ときがわ町の変化である。

一方で、西澤さんは、町外からときがわ町に移住してきた人へも熱い視線を注ぐ。若い人が移住してきて一生懸命やっているというのはとても嬉しいことだという。以前は移住者をあまり歓迎しないような雰囲気もあったようだが、今では多くの人が移住者を歓迎しているという。

移住者がさらに地元にうまく溶け込み、活動の熱が町の若者に広がっていくには、「町の外から来た若い人と、町の中にいる若い人とが交流できるような場があるといい」と語る。Artokigawa を育ててきた西澤さんらしい視点だ。

町の若者について西澤さんが語った時、印象的な言葉があった。「町から人が出ていってもいい。戻ってきてくれればいい。戻ってこられる町じゃないといけない」という言葉だ。ときがわ町には高校も大学もない。だから中学校を卒業して進学するなら町外の高校・大学に進学するしかない。町外に住んだり、就職したりすることも当然あるだろう。でも、「ときがわに戻る」という選択肢をずっと持っていてほしいという希望の声だ。

この言葉を聞いたとき、ときがわ町の違った側面が見えてくるのではないかと気づいた。中学校までしかない町だからこその、まちづくりの発想があるのではないだろうか。その着想を言葉にしてくれたのが、ときがわ町長の渡邉一美さんである。

次に、渡邉一美さんにご登場いただくことにしたい。

ときがわ町長

５ 渡邉一美

企業経営者から町の経営者へ

渡邉一美さんは、西澤さんより年は６つ下。西澤さんとは、ときがわ町が誕生する前から、旧都幾川村の産業振興協議会のメンバーとして学び合ってきた先輩・後輩の仲である。

渡邉さんは、２０１８年２月の町長選で無投票当選し、２代目ときがわ町長となった。それ以前は「とうふ工房わたなべ」の代表取締役を務めていた人物である。とうふ工房わたなべは、地元では知らない人がないほどの有名店であり、町外からときがわ町を訪れる人も必ずといっていいほど訪れるときがわ町の代表的な店の一つである。

渡邉さんは、いわば企業と自治体という２つの経営者の視点からときがわ町を見てきたことになる。まずは経営者の視点を振り返ることにしたい。

とうふ工房わたなべは、昭和21年にこんにゃく屋として創業し、昭和26年に豆腐屋も始めた。渡邉さんは2代目だ。幼いころから、父親に「お前は家業を継ぐんだ」といわれ続けたが、本人は「村を出たい」と思いながら育ったという。中学校を卒業後、自宅から村外の高校、大学に通い、さらに大学院で勉学を進めようとした矢先、学費の工面をしてくれていた母の死去を機に、家業に入ることになった。当時は人も物もすべて東京に向かっていた時代で、80人近くいた同級生の中で地元に残っていたのは15人程度だった。そんな状況の中で家業を継ぐには相当の覚悟があったそうだ。

40代の頃には、消防団長も務めた。そこでは、消防団として地域のことをよく知るとともに「自分たちの地域は自分たちで守る」という消防精神を学んだ。

その後、関わった旧都幾川村の産業振興協議会では、それまで知らなかった地域の姿を知る。消防団長として、地域のことを一生懸命勉強していたという渡邉さん。だが、他の地域の委員から、それまで知らなかった地元の話をたくさん耳にしたという。

景色や風景、動植物、伝統行事や食生活（特に行事食）など興味は尽きなかったと語る。委員の多くは「山は金がかかる」と嘆いていたが、渡邉さんは「山は宝だ」とふるさとへの愛着もより一層深まっていった。

地元の人々は地元の小さな店で買い物をする。渡邉さんからすると、品揃えはよくないし、接客もほどほどで利便性は高くないように思えた。それでも地元の人たちはこういうのである。「俺たちが買わなければ店はやめてしまう。店がなくなると困るのは俺たちだ。」

昔は小さな店がたくさんあって繁盛していた。木工所が多く、そこで働く人が多かったから、地元で稼いで地元で使う。そのためお金が外に逃げない。どの地区もそのようにして村内で経済が回っていた。地域の人々が買い支え、食い支えて、小さな生活圏を守ってきたのである。それが今では、自動車社会の発展と地場産業の衰退により、遠くで稼ぎ、遠くで使うという消費パターンに変わっていった。どうしたら地元で稼ぎ、地元で使うことが実現できるのかと考える日々が続いた。

そこで、まず自らの企業経営にあてはめてみた。原材料は輸入大豆から地元産の大豆に、販売方法も卸売りから製造直販に変えた。有機農業に「内発的発展」という言葉がある。稼いだお金をなるべく地域内で回すという考え方だ。とうふ工房わたなべが取り組んできたこの地域内での循環も、食の安全安心に関心を持つお客さんに支えられて何とか軌道に乗り、地域での雇用も５０人ほどになったという。２００５年に大型直営店開設。

「町が元気になるとは、１つ１つのお店が元気にということだ」というのは、渡邉さんが常々口にしている言葉だ。とうふ工房わたなべという企業経営者から、町の経営者になった今もその考えは変わらない。

町長になって最初に始めたのは、食と教育、健康で選ばれるまちづくりである。「子どもたちは未来からの留学生」というのが持論だ。未来からのゲストのためにも、ときがわ町に住みたい、住み続けたいといわれる町にしていかなければならない。

健やかに成長するには、子どものころからの食事が重要であるというのは、食品業界の元経営者だった渡邉さんらしい視点だ。栄養バランスだけでなく、本物の味がわかる味覚教育にも力を入れている。本物の味が味わえる環境が地域にあるということは、ときがわ町の大きなメリットであると考えている。

また、ときがわ町には高校、大学がない。高校に進学すると必然的に町外の学校に通うことになる。そんなとき世間から「ときがわ町出身の子は優秀だからなあ」といわれるような子どもになってもらいたいのだと語る。子どもたちが町を誇りに思うようになれば、大人になったとき、住みたい、住み続けたい町になる。そう考えているのだ。

これは、中学校までしかない町だからこそのまちづくりの視点といえるだろう。進学や就職で町から出て行った人に、将来、町に戻りたいと思ってもらうためには、町のことを好きでいてもらわなければならない。また、生活していくためには仕事も必要だ。そのためには、教育だったり、仕事をつくることだったり、「僕たち私たちの自慢の町」にしていくための取組が必要なのである。

同時に、外に開かれていることも大事だ。内に閉じてしまうと、外から新たに人が入ることもできないし、外に出た人が返ってくることもできなくなる。寛容性を持って、受け止めてくれる地域でなくてはならない。そのような想いが、西澤さんのような押し付けない態度や、渡邉さんがいうところの「どうぞどうぞ精神」につながっているのではないだろうか。

「どうぞどうぞ精神」とは、渡邉さんがとうふ工房わたなべの社長時代に、お客さんに「どうぞどうぞ」と好きなだけ試食をしてもらっていたというエピソードを聞いて、関根さんが名付けたものだ。何かやりたい人がいれば、「どうぞどうぞ」と受け止める。邪魔もしない代わりに、必要以上に手を貸すこともない。そういう寛容な精神を表したものだ。

今のように30代前半までの若者が移住したり、活動したりするようになる以前、今から20年以上も前から、こうしたときがわ町の寛容性の恩恵を受けた女性がいる。和紙漉きの伝統工芸士の谷野裕子さんである。

谷野さんは、ときがわ町の生まれではない。埼玉県ですらなく、関西の出身である。ときがわ町の住民からすれば、いわゆるヨソ者である。しかしながら、西澤さんとともに、活性会の設立当時から副会長として、会を盛り上げてきた人物でもある。

また、活性会の副会長としてだけではなく、自身の仕事においても、地域と密接に関連した取組を広げてきた。今や、ときがわ町になくてはならない存在になっている。

次は、そんな谷野さんのこれまでの活動を見ていくこととしたい。

6 谷野裕子

ときがわ活性会 副会長、
手漉き和紙職人

**地域で何かをしたいなら、
地域でいくつもの役割を持つこと**

和紙漉きの伝統工芸士である谷野裕子さんは、活性会の副会長を務めている。平成20年に西澤さんたちがまとめた「山村体験&工芸村」をときがわ町につくるという構想に感銘を受け、後日、「ぜひやろう！」と西澤さんを個別訪問したこともある。

自らも和紙職人として町内に工房を持っており、和紙という資源を活用したい、後世に残すために広めたいという動機もあったのだろう。工芸、体験という側面において、谷野さんの和紙漉きは、ときがわ町の重要な地域資源になっており、活性会への参加も、谷野さん自らの問題意識と重なるところが多かった。誰かに言われたからではなく、西澤さん同様、谷野さんもジブンゴトとして活動に参加しているということである。

谷野さんは、ときがわ町ではなく、もともとは関西の生まれだった。そして和紙漉きも家業だったわけではない。どのようにして谷野さんはときがわ町と出会い、和紙漉きの道に入ったのだろうか。

谷野さんは、20代の頃、都内の商社でシステム開発の仕事をしていた。バブル期ということもあり、仕事は忙しく、東京での生活も非常にせわしないものだった。子育てのことを考えると、その頃の生活は35歳くらいが限界ではないかという漠然とした不安を感じていたという。

そんな30歳目前というときに出会ったのが和紙職人という仕事だった。きっかけは、会社の新しい物流拠点を桶川市につくることになり、熊谷市に引っ越してきたこと。初めての埼玉県住まいということもあり、周辺をよくドライブで回っていた。その中で、小川町を訪れたとき、和紙職人との運命的な出会いを果たしたのだ。

田舎風景と和紙の美しさに出会い、そして地に足の着いた和紙職人という仕事を知って、「こんな世界があったのか！」と感動を受けた。一目で心を奪われ、何度も通ううちに和紙職人になりたいという気持ちがしだいに高まっていった。

しかし、和紙は斜陽産業。自分の子どもにも継ぐこともできない状態だった。そのため、人を募集している工房もなく、こちらから働かせてくださいと頼み込んでも、弟子を取るなんてとんでもないと断られ続けたそうだ。

それでもあきらめきれないでいた谷野さんの目に飛び込んできたのは、埼玉県の広報誌『彩の国だより』に掲載されていた「小川和紙継承者育成事業の受講者募集」の記事である。埼玉県の事業で、小川町や熊谷市などの伝統工芸の後継者を育成しようというものであった。

谷野さんは、即座に応募を決意する。その頃には、職人への道を志すため、既に都内の商社を退職し、退路を断っていた。

15名の枠に対して、応募してきたのは18歳から60代までの100名超。面接では、採用されたら小川町周辺に引っ越すことと和紙で稼げるようになることの2つを宣言して、職人への思いを打ち明けたという。その熱意が伝わったのか見事に採用され、職人になるための研修事業がスタートした。

同時期に、地元の出版社に再就職も決めた。研修事業は土日だったため、平日を使って家計を補おうと始めた仕事だった。その出版社では、和紙を使った復刻版を出版していたことから、記録媒体としての和紙の可能性について確信が生まれる気づきがあった。

商社でのシステム開発で使っていたフロッピーディスクは、100年もつといわれたが、結局は技術の進化によりすぐに廃れた。水にも弱い。その後も電子記憶媒体はいくつも生まれては消えた。一方、紙はどうか。紙自体の歴史はゆうに1000年を超え、数百年前の古文書も珍しくはないではないか。保存性の高さ、そして何よりたたずまいの美しさに、改めて和紙の可能性を感じたのである。

和紙の持つ可能性を胸に抱きながら研修に励む一方で、谷野さんは面接時の宣言どおり、転居のための住居探しをはじめた。候補となったのは小川町周辺で、ときがわ町も含まれていた。田舎暮らしを希望していた谷野さんにとって、田舎町であり、水がきれいなことは最低条件だったが、同時に和紙の販路として都内を目論んでいたので、交通の便が良いことも必須条件だった。その点、ときがわ町は、「田舎」と「交通利便性」のバランスがちょうどよかったのだという。まさにトカイナカの特性が決め手になった形だ。

また、もう一つ大きな決め手になったのはときがわ町の雰囲気だ。都内勤めの人が多いせいか、開放的で明るい雰囲気があると感じたのだ。谷野さんの言葉を借りていえば、「お日様系」だったという。人がポッカポッカと温かい感じで、地域全体が明るくオープンな印象を受けた。こうしたときがわ町の雰囲気に、何か新しいことができそうな期待を抱いたのだ。

ときがわ町に住居を構えた谷野さんだったが、研修を続けながらも、子育て、義理の両親の介護と忙しい日々を送る。また、少しずつでも自宅で紙を漉き、自分の販路をつくるために、子どもを保育園に預けている時間を利用して東京への営業に駆け回っていた。

地元にはすでに職人の先輩方の取引先が多く、なるべくそれを荒らさないように独自の販路をつくろうとしたのである。商社にいた頃の人脈を使って、卸売りではなく直販にこだわった。そうした甲斐もあって、徐々に取引先は広がっていった。

そんな中、ときがわ町との付き合い方にも変化が生まれていく。育児や義理の両親の介護を通じて、地域での役割を担うようになった。これまで児童委員や民生委員、社会教育、PTAの役員などを務めてきた。その中で、特に社会教育の分野に関心を持ち、和紙を使った教育事業を展開するようになる。

最初はボランティアで、公民館でのちぎり絵などを始めたが、当時の村長から提案のあった「ときめき塾」がスタートしたことがきっかけで、生涯学習指導員という役割が与えられ、行政からの後押しをしてもらえることになったのである。

また、自身の子どもが小学校6年生になった頃には、卒業証書に和紙を使うことも提案した。子どもが自ら漉いた和紙を、卒業証書として使うというものだ。これが教育委員会やPTAの後押しを受けて、村中の小学校・中学校にあっという間に広がった。そして、合併後は旧玉川村の小中学校でも取り入れられている。

ボランティアからはじまったときがわ町での取組が、徐々に事業として成り立ち始めたのはこのころからである。子どもが自分で漉いた和紙を卒業証書に使うという取組は、ときがわ町の小中学校、幼稚園にとどまらず、今では県内、県外の学校まで連携先が広がっているそうだ。

谷野さんが教育事業に力を入れているのには2つの理由がある。一つは、町外から来た自分に、ときがわ町の人たちがいろんな面で助けてくれたことへの恩返しだ。

自宅の作業場から、本格的な工場に移転する際に、車庫の一角を工場に改修して貸してくれた大工さん。町内での社会教育事業の道を示してくれた元村長。卒業証書への和紙の利用を快諾してくれた教育長やＰＴＡ会長。営業で帰りが遅くなったときに、子どもを預かって食事までさせてくれた近所の人たち。こうした人たちの助けがあって、自分の事業が成り立っていることへの感謝の気持ちを、谷野さんは一つ一つ語ってくれた。

もう一つは、伝統工芸に携わっている者として、伝統技術を後世に受け継いでいかなくてはならないという使命感だ。谷野さんは、和紙がユネスコの無形文化遺産に登録されたことについて、次のように語ってくれた。

「『無形』というのは形がないということ。つまり登録されたのは和紙そのものではなく、材料や道具や技術なども含めた『和紙の文化』だということ。当然、職人が和紙を漉くには、原料や道具が必要で、これらをつくっている人たちがいるということを忘れてはいけないんです。」

和紙のある地域に生まれた子どもたちには、和紙そのものだけでなく、こうした文化的背景が自分たちの育った地域にあるのだということをきちんと知ってもらいたいというのが谷野さんの想いだ。

さらに、谷野さんは、１０年以上前から和紙の原料である楮の栽培にも自ら取り組んでいる。谷野さんが漉く和紙の原料は１００％国産の楮で、小川町や秩父市でも栽培をお願いしている。それでも自ら楮を栽培するのは、和紙文化を伝えていきたいという想いからだ。

この楮栽培の取組が、最近、広がりを見せている。同じ比企郡の鳩山町にあるＪＡＸＡの地球観測センターの職員と出会った縁から、同センターの職員や近隣の市町の有志が自主的にチームを作り、３年ほど前から畑を借りて楮の栽培に取り組んでいるのだという。量はもとより、原料としての質も年々上がっており、間もなく一つの産業として一本立ちできそうなほどだ。

楮の商品名は彼らと話し合って既に決めている。その名も「ムサシコウゾ」。埼玉県の比企郡周辺に根づいた和紙という伝統技術であることをしっかりと伝え、後世に継承できるようにと、ストーリー性と今後の展開への可能性が感じられる名前としたそうだ。非常に未来性のあるネーミングで、聞いた時に背筋がゾクゾクした。

谷野さんが取り組んできたことを振り返ってみると、地域にしっかりと根を張り、「しごと」をつくり、地域と「しごと」が固く結びついていることがわかる。同時に、ときがわ町限定ということではなく、他の地域の人ともゆるやかにつながっている。西澤さん同様に、自分発のものであっても決して自分だけにとどめず、良いものは分かち合い、他の人も巻き込んでより良いものにしていこうとする姿勢にあふれているのだ。

こうしたことができたのも、地域の中でさまざまなつながりができたことが大きいと谷野さんはいう。外から入ってきた人でも、育児や介護を通じて、地域での関わり方が複数でき、いろんな役割を担うことができた。

確かに、地域での人づきあいというと、純粋な田舎生活を楽しみたいだけの若者にはわずらわしい面もあるかもしれない。だが、地域で「しごと」をつくりたい、地域で何かをやりたい、そしてそれを続けたいと考えるのであれば、地域の中に自分の役割を持つという視点は欠かせないと谷野さんは強調する。地域の中で役割を果たしてこそ、地域住民の認知や信頼が得られ、自分がやりたいことへの協力も得やすくなるからだ。

また、積極的に人を巻き込むという点も重要だ。都市部だと、まちの規模が大きかったり、人が多すぎるから目立たなかったりする。しかし、小さな町では人のつながりも、それによって生じる動きも目立ちやすいというメリットがある。

だからこそ、積極的に人を巻き込むと、町全体でやっている感や一体感が生じやすく、外から見たときにちょっとしたムーブメントのように感じる。そのことにより、さらに活動が盛り上がっていくことが期待できるのだ。

7 笹沼 和利

ときがわ町観光協会副会長、養鶏業、
埼玉県移送サービスネットワーク

出る杭は打たれるけど、出過ぎれば打たれない

谷野さんよりも前にときがわ町に移住してきて、地域のいろいろな変化を目にしてきたのが笹沼和利さんだ。笹沼さんは、現在、ときがわ町観光協会の副会長を務めるとともに、養鶏業（平飼養鶏）や福祉に関わる埼玉県の移送サービスネットワークの運営にも関わっている。また、かつては、旧都幾川村時代からときがわ町にかけて、両方の議員を経験したこともある人物だ。

元々は浜松市の出身で、東京都内で長く福祉系の仕事に携わっていた。だが、「福祉はライフワーク」と称する笹沼さんは、福祉を生活の糧とすることに耐えられなくなり、仲間と共同でときがわ町の堂平山頂近くの土地を購入して移り住んだ。今から３０年以上も前のことである。ここから笹沼さんの生活はめまぐるしく変わってきた。

まず、生計を立てるための術として笹沼さんが選択したのは農業だった。元々は高校3年生の頃に農業を志したことがあったが、大学の農学部の受験に失敗したため、農業の道に進むことはなかった。その思いがここにきて再燃したのである。

だが、農業をやりたいと思っていたものの、知識やスキルはまったくといっていいほどなかった。養鶏は、とりあえず卵が採れれば売れるということで始めたものだ。かつては、堂平の山奥から東京の目黒まで、卵を売りに車で通っていたこともあるそうだ。飼育している鶏は、ピーク時は600羽以上いたが、今では300羽ほどになっている。

一方で、移住してきてすぐに、ときがわ町で巻き起こっていた大きな騒動に巻き込まれる。ゴルフ場開発を巡る反対運動である。当時はバブルも終わろうとするときで、日本全国で山を切り拓いてゴルフ場を建設する動きが活発に起こっていたらしい。目的は「カネ」だ。お荷物のようになっていた山を開発してつくったゴルフ場の会員券を、錬金術のごとく何百万円、何千万円ものカネに変えるということが行われていたのだ。

笹沼さんが移住してきたのは、ときがわ町の町中に近い山でのゴルフ場開発の話がいくつも持ち上がってきていた頃だった。笹沼さん自身、拝金主義のような風潮に嫌気がさしていたので反対の立場であったが、なんと反対派の筆頭として押し上げられてしまったのだ。ヨソ者ということで、地元とのしがらみがなく、言葉は悪いが「利用しやすい」と思われたのだろう。反対グループの中には、隣の小川町の有機農業で有名な金子美登さんや、はなぞの保育園の柳瀬園長もいたという。

ゴルフ場開発を巡るこうした騒動は、全国的に1989年から1996年頃まで続いた。結局、旧都幾川村ではゴルフ場開発を持ちかけてきた者を除いて、村中の人たちの大半が一斉に反対に回ることとなり、開発計画は徐々に下火になっていったのだという。

この出来事は非常に興味深い。これまでにお話を聞いた方々も、第3章で取り上げる方々も、ほぼ全員が「ときがわ町はオープン」であると感じているにも関わらず、ゴルフ場開発には断固としてNOを突き付けたのだ。このことは、ゴルフ場開発が、山に象徴される「自然」というときがわ町の人たちの根幹にあるものを破壊する脅威であったからではないだろうか。

自然を大切にする、ふるさとを大切にする、人を大切にするというような意識の高い人たちが、ときがわ町には多いと笹沼さんはいう。これらの意識は、ときがわ町で昔から育まれてきた価値観であり、文化である。文化とは、その土地にある特有の歴史を大切にすることであり、地域の人のルーツや根っこでもある。新しいものはすべて、その根っこを土台にして、その上に築かれていく。

町の豊かな自然が失われることは、ときがわ町に住む人たちの尊厳や価値観の消失につながることだ。だから、町中に程近い山で、ゴルフ場開発の話が持ち上がった時、計画を廃止に追い込むほどの反対運動が沸き上がったのである。

自らのルーツや根っこの消失という危機感を抱いたからこそ、ときがわ町の自然が好きで地域外から来た人だけでなく、昔からの町の人もこぞってゴルフ場開発にNOをつきつけた。こうした出来事を巡る一連の経緯は、ときがわ町は外からの人・物・情報を、寛容をもって受け入れるばかりではなく、地域固有の価値観、地域の人たちの大切な根っこを揺るがすものに対しては断固として拒絶するという厳しさを持ち合わせていることを感じたエピソードであった。

ゴルフ場開発の危機が去ると、笹沼さんはライフワークである福祉に注力しはじめる。自らを「施設解体論者」と語る笹沼さん。障がい者を施設に押し込めておくのではなく、地域で一緒に生活できるようにすることが理想だ。

そのための活動に、ときがわ町だけでなく、県内や全国の団体と連携しながら取り組むうちに、移送という問題に行き当たった。当時の法律では、「白タク行為」として、法律上、タクシー事業の許可を得ていない個人の車による人の移送が規制されていたからだ。

そこで、笹沼さんが１９９９年に県内の障がい者団体などと一緒に立ち上げたのが、埼玉県移送サービスネットワークである。移動困難者の外出を支援し、埼玉県と連携をとりながら、社協、ＮＰＯ、ボランティア団体、個人の幅広いネットワークを構築して移動困難者の社会参加の実現を図ることが目的とするネットワークだ。

このネットワークを基盤として、福祉における移送問題を解決すべく全国の仲間と協働で国への働きかけに奔走した。当時は、小泉内閣の構造改革時代。そのような時代背景も幸いして、国土交通省、厚生労働省、各政党などに働きかけを続けた結果、見事に法律改正を勝ち取ったのである。

また、笹沼さんは、1999年から14年半にもわたって議員としても活動していた。「やりたいようにやり、言いたいことをいってきたので、おもしろく思わない人もいたと思う。敵もいっぱいつくってきた」と笹沼さんは語る。確かに敵もいたかもしれないけど、味方になってくれた人も多い。

だからといって、味方になってくれた人と変にくっつきすぎることもない。美術館建設計画への賛成・反対を巡って、議員時代の一番の後援者と対立したこともある。「自分」という軸をしっかり持って、自分の責任でやるということが重要だと強調する。

笹沼さんの信念は、「出る杭は打たれるが、出過ぎれば打たれない」だ。自分の主張を貫きとおせば、筋が曲がったものでない限り、「じゃあやってみれば」となる。ときがわ町には、そうした自分の思いにこだわりが強い人が多く、そういう思いが強すぎるとむしろ誰も何も言わなくなるというのである。ただし独りよがりにならないことも大事だ。

そのような行動を続けてきた笹沼さんだからこそ、今のときがわ町の変化を好意的にとらえている。新しく入ってきた人と昔からの地元の人との間に、あまり壁がなくなったと感じている。昔からいろんなことをやりやすかったが、ますます動きやすくなっているというのが実感としてあるという。

ただ、同時に心配してもいる。これからときがわ町が向かっていこうとする、はっきりとしたビジョンが見えないからだ。だからこそ、ときがわ町に来た３０代前後の若い人たちが、今後、ときがわ町でどのように自分の思いを実現させていくのかに期待していると語ってくれた。

それだけではない。自らも観光協会の副会長として、新たにやりたいことがあるという。計画中ということで詳細は語られなかったが、７１歳でもなお、新たなことにチャレンジしようとしている姿は非常に意欲に満ち溢れていて、実に楽しそうであった。

8

柳瀬寛洲《かんしゅう》

はなぞの保育園長、皎圓寺住職

自然が、子どもの尊さに気づかせてくれた

柳瀬さんは、はなぞの保育園の園長としては4代目にあたる。もともとは両親が開園し、父親の死後は姉が後を継ぎ、20年以上前に柳瀬さんが引き継いだ歴史ある保育園だ。

柳瀬さんの両親は、いずれも九州出身。父親が宮崎県出身、母親が長崎県出身で、満州（中国東北部）で出会った。父親が病気になったため日本に帰国して、結婚。宮崎県の高千穂で教員をしながら、青年塾を開いていた。

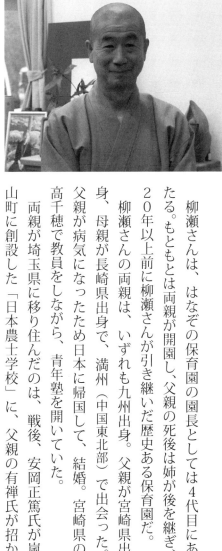

両親が埼玉県に移り住んだのは、戦後、安岡正篤氏が嵐山町に創設した「日本農士学校」に、父親の有禅氏が招かれたのがきっかけだ。

日本農士学校とは、当時、全国から優秀な先生を集めて学ぶ場所で、近隣から明日を担う青年たちが通い、朝は学問、午後は労働という生活をしていた。

父親は農士学校で数年、指導した後、一家は旧玉川村に移った。今宮神社に仮住まいしながら、父親は夜間高校で教鞭をとる一方、夫婦で農繁期に近所の子どもを預かる季節託児所を開いたことが、はなぞの保育園の前身となった。ちなみに、その当時の村長は、前町長の関口定男さんの父親で、関口定男さん自身も、この託児所に通っていたという。

その後、昭和２８年には旧都幾川村の皎圓寺に場所を移し、昭和３１年に正式に保育園の認可をとった。さらに昭和３３年には、県内で2番目となる社会福祉法人の認可を取得している。以上が、はなぞの保育園の始まりに関する経緯である。

託児所がはじまった理由や地域との関係は興味深い。父親は出家して寺に入っても修業第一の人で、住職になったのは昭和５１年だった。また、檀家の数もそこまで多くない。そのため、檀家に頼らず、生活の糧を得る手段として、地域に必要なものをつくろうと思ったのが託児所を始めた理由だったというのだ。当時、お金を払って子どもを預けるという意識は薄かった。そこにビジネスの側面からいえば「保育」というサービスを、地域にもたらしたのである。

ただし、運営は厳しかったようで、柳瀬さんが高校生の頃までは赤字続きだったらしい。しかし、利用者がうどんを打ってきてくれたり、母親たちが村中を歩いて寄付を募ったところテレビを寄付してもらえたり、園の近くに住む職員が開園前なのに早く来ざるをえない園児を預かってくれたりと、地域の多くの人たちに支えられてきた。

地域の人がいかに保育園に感謝していたかを伝えるエピソードがある。自分の子どもが卒園して５０年以上経つというのに、当時の苦しい時代を支えてくれた恩返しにと、毎年、全園児にお菓子をプレゼントしてくれる人もいるのだという。もはやただのお菓子というより、

〝お守り〟のようなものだと語ってくれた。

また、旧都幾川村役場も、保育園運営に関する窮状を知り、村には必要な施設だからと、苦しい経営を支えるために村単独の補助金を出してくれたのだそうだ。保育施設に一律に交付される国の補助金とは別のもので、ときがわ町になった今でも続いている。


経営が安定してからは、ますます地域との結びつきも強くなっていった。父親・母親の後を、柳瀬さんのお姉さんが引き継いでいた頃のことだ。旧都幾川村では、かつて人口増加に悩んでいた時期があった。人口が増えたので幼稚園が必要ではないかという声が上がってきたのだ。

新しく設立する幼稚園は村立か否か、どんな幼稚園がいいのか議論になり、都幾川村の幼児教育のあり方について、村長に諮問された幼児教育審議会が出した答申は、「公私を問わず将来的に一元化の方式を基本とした併設が望ましい」という画期的なものだった。この答申を受けて、村長から、はなぞの保育園に対して、幼稚園をつくってほしいという要望が出された。

はなぞの保育園は社会福祉法人である。幼稚園を作るには学校法人を設立しなくてはならない。そこで実際に学校法人設立に向けて動いたのが、柳瀬さんの姉と夫の児玉さんご夫婦だった。しかも当時、姉は妊娠中だった。

「あの二人がいなかったら幼稚園はできなかった」

と柳瀬さんは語る。

話題はそれるが、姉の夫の児玉さんに関してはおもしろい話がある。高校教員から医者になったという異色の経歴の持ち主だが、ときがわ町桃木地区に「こだま医院」を開院した後、クラシック音楽を身近に感じてもらおうと、１０年もの間、町の文化センター「アスピアたまがわ」の音楽ホールでクラシックコンサートを年に１回開催していた。その最後の年に招いたのが、トランペットの世界的演奏家である「オリパパ」こと織田準一さんと、「オリママ」こと奥さんで作曲家の織田英子さんである。

残念ながら、まだ私はお会いする機会に恵まれていないのだが、ときがわ町で「ときがわ町民バンド」を結成しているほか、さいたま市などでも活動し、初心者がいつでも楽器を始める事ができるような機会づくりに力を注いでいると聞く。彼の影響力もまた非常に大きいようで、彼に招かれて遊びに来たことをきっかけに、ときがわ町を気に入って通ってくる音楽家もいるのだとか。人が人を呼び込む循環が垣間見られたエピソードだったので付け加えておく。

さて、姉夫婦の尽力もあって、昭和６１年に、隣接地にときがわ幼稚園を開設し、幼保一帯の保育を展開してきたはなぞの保育園は、令和元年、皎圓寺の近くに新園舎を建設し、移転した。これを機に、認定こども園「ひかりの村こども園」に改名する。

今では近隣地域からも通ってくる子がいるほど人気があり、元気に見えるはなぞの保育園であるが、長く経営難だったこともあるように、ここまでの道のりは決して順風満帆ではなかった。ときには、地域全体に影響する出来事に直面して、保護者も職員も全員で悩んだこともある。また、以前の園舎が建っていた場所は土砂災害特別警戒区域に入っていることが明らかになったことから、建て替えの際には移転せざるをえないという場面にも遭遇した。

そんな時に支えてくれたのは、やはり町と地域の人たちの存在だったという。「今まで続けてこられたのは、多くの人の支えと町の支援があったから。本当にありがたいこと」と、柳瀬さんは感謝の言葉を述べる。

柳瀬さん自身は6人姉弟の末っ子で、最初から後を継ごうとは考えていたわけではなかった。修行する父親や周りのお坊さんの姿を見て、かっこいいとは思っていたものの、自分もそうなりたいかといわれれば、そうではなかったという。父が病気になり、余命が短いと分かったときには既に結婚しており、園を姉から引き継ぐことに関しては悩んだそうだ。

だが、子どもが好きで以前は自分も保育士をしていて、子どもという存在に心を揺さぶられていたこと、両親と姉からの強い勧めがあったこと、そして何より支えてくれる地域の人たちの存在が、園長の座を引き継ぐ決心を後押ししたのだという。

こんな話もしてくれた。あるとき、川に大きな木が倒れていたことがあった。どうしていいかわからず近所の人に相談すると、周りの人にも声をかけてくれ、どうにかならないか現場に集まって話し合った。その結果、自分たちではどうしようもないので役場に連絡しようということになったのだが、最初から行政に頼るのではなく、まず自分たちで何とかしようと動いたということに驚いた。

普通なら、川に大きな木が倒れているのを見た瞬間、役場になんとかしてもらおうとすぐに役場に連絡してしまうところだ。そうではなく、まずは自分たちでできることはないか考え、行動する。今でいうと「自助、公助、共助」というところだが、それが当たり前にできるのが、ときがわ町の人たちのすばらしさだと語る。


子どものかけがえのなさを「尊敬している」と、ことあるごとに口にする柳瀬さん。保育園での子どもの過ごし方に関する話も興味深い。

外では草履を履いて生活し、散歩の時間に長い距離を歩いたり、園舎もできる限り木の内装を使ったり、子どもが自然に健やかにたくましく育つように工夫がされている。食事にもこだわっていて、地元の有機農法の野菜やお米や味噌を使用しているという。子供は「○○さんのお米？」などと訊いてくるのだとか。

顔の見える関係で食べ物や木材を循環させたいという想いで取り組んでいるため、子どもたちがこうやって関心を持ってくれるのが何より喜びだ。仏教園だが、何か特別なことをするわけではない。「当たり前」のことを大切に生活しているのだ。

だが、その当たり前は、生産と消費とが隔てられている現代の都市の生活では今や「当たり前」ではなくなっている。はなぞの保育園では、本来、地域ごとに身近にあったものを再発見し、日常的に利用していくことで、地域や地域の人との関係を構築している。それも特別に力むことなく、ごく自然に身につけていくという印象だ。

「心身ともに健やかであることが大切だが、人間は生まれた瞬間に、望むと望まざるとにかかわらず、いろいろなものを背負っている。それは非常に尊いものである。男も女も、老人も赤子もない。子どもたちには、自分を出しながらも、違いを認めつつ、時に対話し、共同しながら何かをつくり上げていく、そんな世の中の成員として、尊い一人の人間として、生きる力をつけて欲しいというのが柳瀬さんの願いである。

また、保育園で影響を受けるのは子どもだけではない。そこに通う子どもの親もである。町の外から通う園児が少なかった頃の保護者の言動は、園に「こういうことをやってください」という要望が多かった。それが、町外から通う園児が増えた今では、「こういうことをやっていいでしょうか」というように変わってきたというのだ。

それだけ意欲的な人が増えてきたということでもあるし、それをときがわ町の人が受け入れてくれるということもあるだろう。また、町外の人は、あえて都市部ではなく自然の多いときがわ町の保育園に子どもを通わせたいとやってくるような、教育に対して非常に意識が高い人が多い。そういう人たちと町の人とが混ざり合って、お互い影響を受けているのではないかと柳瀬さんは語る。「親御さんがいろいろやってくれるので自分はそれを邪魔しないようにしているんです」。

ピーク時には町外からの園児が半数を超えた年もあったという。今はときがわ町内で待機児童を出したくないという事情から、町内を優先せざるをえないので町外からの受け入れを控えているが、少子化の今でも園児数は減っていない。それだけ、はなぞの保育園の教育方針とときがわ町の自然環境が魅力ということだろう。

ある時、ときがわの外からの人と座談会をやったことがある。すると、「自然が豊か」「人間が良い」「よそ者を受け入れてくれる」という声が多数上がった。そして、行政だけでなく、民間の人が、良く何かをやっているので活気があるというのだ。

ただ、それは受け身でやってくる人に何かを与えてくれるという意味ではないように思える。自分で何かをやりたいという人に対して、「どうぞどうぞ」というのがときがわ町のような気がする。その点は強調しておきたい。

柳瀬さんの話の最後でおもしろかったのは、はなぞの保育園に子どもを通わせたことがきっかけで、ときがわ町に移住してくる人も少なからずいるということ。都内からの移住希望者も多い。ただ、希望してもなかなか家が見つからないというのがここでも課題として挙げられた。

はなぞの保育園に限らず、ときがわ町ではいろんな人間が混ざり合っているが、「ここに生まれ育ってよかった、この町で子育てしてよかったと思ってもらえる町でありたい」という柳瀬さん。地域で生まれ、育った人が、その地域に対して愛情や誇りといった肯定感を抱くことの大切さを感じさせてくれた。

（9）ときがわ町の多様性と寛容性

ここまで、平成18年（2006）のときがわ町誕生前後から起こっていた「人」の動きを見てきた。その中から見えてきたときがわ町の2つの特性を整理しておきたい。それは多様性と寛容性である。

ときがわ町の多様性は、1つの大きな中心が存在しなかったことに基づいているように思える。小さな複数の拠点が存在し、それぞれの地域内での経済圏が成り立っていた。そこからは、自分の生活は自分で守るという独立心や自分のことは自分で責任をとるという責任感が育まれた。

また、寛容性は多様性と表裏一体の関係にある。活性会に見られたように、寛容性あっての多様性だし、多様だからこそ他者を認めることのできる寛容性が生じるのだ。自分が好きなことをやる代わりに、他人の邪魔もしないという「どうぞどうぞ」精神は、まさにその表れであろう。

こうした多様性や寛容性は、ときがわ町誕生前から現在まで連綿と続いてきたことが見えてきた。そして、それが現在、ときがわ町に引き寄せられる若者たちの活動へとつながっているのである。

次章では、具体的にどのような若者たちがときがわ町に引き寄せられ、ときがわ町を舞台に「しごと」をつくり出しているのかを見ていくことにしたい。

峠の駅「TOKIGAWA BASE」

文：青（比企起業塾４期生）

県道172号線沿いにある、峠の駅「TOKIGAWA BASE」。もともと有志団体が運営するサイクリスト向けの休憩場所であったが、2020年９月にフードコートをメインとした複合施設として新たに生まれ変わった。

峠の駅には水出しコーヒーの「沖山珈琲」、ステーキとシチューの「里山グリル」、「カキ氷屋のイエティ（夏季限定）」が立ち並び、繁忙期の休日にはキッチンカーも出動する。料理注文が必須ではなく、フードコートスペースは休憩の目的としても利用可能である。入口付近には雑誌があり、机１つ１つにQRコードがついており、かざすとフリーwifiを使用できる。ゆっくりくつろぐための配慮が行き届いているように感じた。

里山グリルは西平に１号店があり、こちらは２号店だ。絶妙な焼き加減のステーキやとろとろに煮込まれているハヤシシチューなど、どのメニューもガツンと目を引くものばかり。写真を見ているだけで食欲をそそられる。アルコールの提供もしており、前日までに予約すれば峠の駅でテイクアウトメニューも受け取れる。飲食提供が手厚くなり白石峠や定峰峠でエネルギーを消耗したサイクリストのお腹を満たすだけでなく、観光客や地元民の利用しやすさも向上している。以前よりも多くの人の興味を呼び起こす場所になっている。

１２４ページへ続く

１２３ページから

TOKIGAWA BASEで気張らず使えると感じた箇所は他にもある。沖山珈琲では８時間以上かけて抽出される水出しコーヒーを提供している。コーヒー専門店と聞くと、ブラックコーヒーで豆の違いが分かる人が歓迎される印象だが、沖山珈琲のおすすめは砂糖とミルク入りと聞いて拍子抜けした。なんでも、ブラックコーヒーを飲めない人でも美味しいと思える味を追求した結果、今の味にたどり着いたらしい。

玄人だけを囲い込まず、どんな人からも親しまれる味への追求。移住者や何かに挑戦したい人の気持ちを無下にしない、ときがわ町のスタンスと重なるものがある気がする。

ここで思い出したのが、「まだ峠の駅の出店スペースは空きがあり、これからもっと変わっていくだろう」という沖山珈琲オーナーの沖山さんの言葉だ。柔軟さが余白を生み、かかわりを持ちたい人を惹きつける。そして集まった人たちに柔軟さが伝播していく、という連鎖反応が巻き起こっているのではないだろうか。きっと半年後、峠の駅は今と同じ姿をしていない。

水出しコーヒーは口当たりがまろやかで、これまで飲んできたコーヒーとはまるで異なる逸品だった。私自身は、粉末コーヒーを熱湯で溶かす毎日で、正直コーヒーにこだわりはない。スターバックスでは期間限定のフラペチーノばかりを頼むミーハーだ。それでもまたあの水出しコーヒーを味わいたいと思うのは、もちろん圧倒的な味わい深さが理由だが、峠の駅で感じた柔軟さで変化していく様に私も引き込まれているからかもしれない。

第3章

小さな町で、しごとをつくる人たち

(1) ときがわ町で、「しごと」をつくる

さて、第2章では、ときがわ町の根底にある特性を掘り起こしてみた。そこにあったのは、大きな一つの中心によらない多様性であり、他者への寛容性であった。これらが相まって、「どうぞどうぞ精神」と呼ぶべき態度が育まれている。そこから生まれている最も象徴的なものこそが「しごと」だと私は考えている。

ときがわ町のような人口1万人ほどの小さな町における「しごと」には、単なる貨幣獲得という経済的価値以外の意味がある。地域での役割や人とのつながりといった社会的価値である。ここでいう社会とは、グローバル規模の「社会」というより、比較的限定的なローカルな「地域社会」に近い。地域での「しごと」は、都市のそれに比べて、こうした社会的価値が強く発揮されるのではないかと思う。いわゆるローカルビジネスの考え方に近い。

さて、第1章で述べたように、ときがわカンパニーのミッションは、「ときがわ町に人が集まり、仕事が生まれる」状態にすることである。関根さんは、小さくても町に「しごと」があること、スタートアップのように大きな雇用は生まれなくても、少なくとも自分や家族を養えるような「しごと」を自分でつくり出すことを何より重視している。それがミニ起業家の目指すところである。

そこで本章では、地域の「しごと」、とりわけミニ起業家たちの活動に焦点を当てること

にする。ときがわ町で「しごとをつくる人」を取り上げることで、ときがわ町における「しごと」の意味や地域で「しごと」をつくることの意味を考えてみたい。なぜかというと、人口減少が続くときがわ町が、今後も持続する町であるためには、町に「しごと」があることが必要不可欠であると考えるからだ。

ときがわ町には、移住を希望する人が１００世帯以上いて、子育て世代も多いということはすでに述べた。だが、子育てを考えたとき、町内には小・中学校しかなく、子どもは中学校を卒業すると高校・大学へは町外に通わなければならない。そして、高校・大学を卒業したとき、地元に魅力的な「しごと」がなかったとしたらどうだろうか。帰りたいと思うだろうか。

もちろん、ときがわ町に住みながら、町外に通勤するという選択肢もあるだろう。昨今では、リモートワークのような新しい働き方も広がりつつある。だが、お金を使う場所はどうだろう。町に仕事がないということは、町の中でお金が使う場所がないということだ。つまり地域の外にお金が流れ出てしまう。地域の中でお金が循環しなければ、地域は豊かになっていかないのだ。

逆に、地域の中に仕事があれば、わざわざ外に働きに出なくても、地域の中でお金を稼ぐことができ、地域の中でお金を使うこともできる。そうすれば、地域の中で経済の循環が生まれ、お金がたまることによって地域が豊かになっていく。

さらに自分や家族が幸せになるための「しごと」をつくることができたらどうだろうか。

そんなまちであれば戻ってきたいと思わないだろうか。

ときがわカンパニーが、いかに多くの人に来てもらうかという観光ではなく、少数であっても深くときがわ町に関わり「しごと」をつくり出すことのできるミニ起業家の育成にこだわる理由はここにある。


次項からは、ときがわカンパニーが主催する比企起業塾から誕生したミニ起業家のうち、ときがわ町に関わりの深い方々を中心に取り上げ、インタビューした内容をご紹介する。業種は、研修講師や不動産業、ライター業、宿泊業などさまざまだが、いずれも地域で自らの「しごと」をつくり出している人ばかりだ。

また、ときがわ町には、比企起業塾生以外にも自分で「しごと」をつくっている魅力的な方々がたくさんいる。ここでは、ときがわ町出身者ではなく、町外からときがわ町に移り住んできて町内に拠点を構え、町に深く広く根を張っている方々を中心にご紹介することとする。

そして本章の結びでは、彼らの思いや行動から読み取れる、地域で「しごと」をつくることの意味やそれによって生じる地域への影響について述べてみたい。

②　栗原直道

ときがわ町出身、整体師・トレーナー・研修講師・チームマネジメント

ミニ起業家のロールモデル
都市と地方での複数拠点&複業&仲間づくり

最初に取り上げるのは、ときがわ町出身、滑川町在住の栗原直道さん33歳である。現在は整体師や社会人野球チームのトレーナー、研修講師、地域のチームマネージャーといった複数の肩書を持つ。屋号は「ラーンネクスト」。

栗原さんの働き方は、一言でいえば都内と地方の二拠点での複業である。以前は、都内で十数日は整体師として働き、残りは研修講師や企業スポーツチームのトレーナー、自身が手掛ける地域のクリエイターチームの一員として働いていたが、新型コロナウイルスの影響もあって、都内と地方での仕事の割合が変化している。

また、研修講師という仕事柄、関根さんと一緒に仕事をする機会も多いため、その考え方や行動と自らの過去の経験とを掛け合わせながら自身の中に取り込んできた。いわば、「比企起業塾0期生」のような存在である。

栗原さんは、20代半ばに都内で整体師として起業し、美容サロンの運営などを手掛けてきた。そんな栗原さんが、「地域での仕事」と「研修講師」という新たな視野を開かれたのは、2017年に関根さんに出会ったことがきっかけであった。

それは3人目の子どもが生まれ、「都心の仕事」と「地方の生活」について考えることが多くなっていた頃のことだ。同級生を通じて、出身地であるときがわ町に起業支援施設ができたことを知って興味を抱いた。そして関根さんを訪ねて ioffice を訪問したところ、そこで大きな2つの発見があったという。それは、関根さんも4人の子どもがいたが、「地域に住みながら都内で働く」を体現していたことと「研修講師という仕事」である。

「地方と都心での仕事の両立」や「家庭と仕事の両立」の事例については本やメディアで見聞きはしていたが、体現している人が実際にときがわ町にいるということに大きな衝撃を受けた。「見つけた！と思った」と、栗原さんは当時を振り返って語っている。関根さんという存在に出会うことによって、「地域での仕事」と「研修講師」という新たな選択肢が彼の中に生まれたのだ。

また、関根さん側でも、20代半ばから都内で起業を経験してきた栗原さんに、「ただ者じゃない」という印象を抱いたようだ。そこからの展開は早かった。例の、関根さんの「その場でしごとをつくり出すスキル」がここでも発動したのである。関根さんは、栗原さんの強みである「整体」が、身体に働きかけるという視点から企業研修に活かせるのではないかと考え、ある企業の研修の現場で整体セッションを栗原さんに任せたのだ。出会った日から一週間後の出来事だった。

研修受講者や研修担当者の反応は上々。栗原さんは、これを機に自らの強みの新たな可能性に気づくことができた。同時に、関根さんにとっても、頭で考えたり、言葉で話したりすることが中心の企業研修で、身体全体を動かすことで得るものがあるという気づきにつながった。今では、関根さんがラーンウェルで実施している企業研修において、栗原さんはかけがえのないパートナー講師の一人となっている。

その後、栗原さんは、整体を活かした独自のプログラムを企業向けに提供するようになった。例を挙げると、大手運輸企業とタイアップした独自のストレッチ法の開発やケガ防止運動、講師としての立ち姿勢や「愛され社員」になるための印象アップ法、チームビルディングにつながるファンクショナル整体など、実にユニークである。

研修講師という2足目の草鞋を手に入れた栗原さんは、活動の範囲をどんどん広げていく。それは、都内・整体師という限られた場所や肩書での仕事にとらわれなくなったからだ。自分の強みを活かし、顧客の悩みを解決することができれば、東京じゃなくても「しごと」をつくることができる。そんな確信が生まれたからだ。

そうして結成したのが「チーム企《くわだてる》」である。

チーム企は、埼玉県比企郡を拠点に活動するクリエイティブなメンバーが集まるコミュニティの名称である。このチーム企については、第4章で改めてご紹介するが、栗原さんが比企地域を中心として県内に拠点を置く個人の人材と共に、2018年に活動をスタートした。東京をはじめ、県内の行政や企業、個人経営の飲食店などから、スチール（写真）やムービー制作を請け負い、地域での「しごと」を生み出している。本業のほかにチームでの活動を行っているメンバーも多く、地域での働き方の選択肢を創り出しているといえる。

栗原さんが目指しているのは、「地域にいるおもしろい人たちがゆるくつながって、『良い状態』になること。そして地域でおもしろいことをする人を増やすこと」である。そのために、相手にとって自分がどういう意味のある存在であるかを常に考えているという。個人を縛り付けるのではなく、「こういう仕事だったらこの人」というように、プロジェクト単位でどんどん人を巻き込んでいく力が栗原さんの大きな能力だ。

人を巻き込むということは、その人の役割を新たにつくり出すことでもある。つまり、地域でのビジネスということについて、「しごと」とそれをやる人の両方を生み出し、それらをつなげる役割を栗原さんは担っているのだ。単に自分で自分の収入源となる仕事をつくるだけではなく、地域で働きたい人と「しごと」を共有することで、できる業務の量や幅をより広げている。また、それが顧客にとっての価値を高めることにもつながっている。

このように地域の「しごと」をつくり、広げられる人材がいることによる地域への波及効果は計り知れない。ただ単にお金の循環ということだけでなく、一人一人の生きがいや新たな生き方・働き方の選択肢を生むことにもつながるからである。栗原さんは、まさしく地域で「しごと」をつくるミニ起業家のロールモデルというべき人物だろう。これからの活動からもますます目が離せない。

③ 尾上 美保子

比企起業塾1期生、不動産業、株式会社 Re'lease

空き家活用と移住促進を切り拓く、ときがわ町の不動産業の〝母〟

　2人目に取り上げるのは、起業塾1期生の尾上美保子さん。ときがわ町を中心とした住宅売買仲介、住宅賃貸仲介、管理などの不動産業を営む株式会社 Re'lease を経営している。それまで経営していた整体院に加えて、起業塾に参加して新たに不動産会社を立ち上げた。

　Re'lease のホームページを見ると、いわゆる不動産業っぽさはなく、ピンク系の配色で優しい雰囲気である。きめ細やかな対応が特徴で、売り主・買い主の双方に対して、親身になって相談に乗り、納得のいくまで交渉を繰り返す。

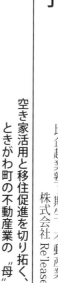

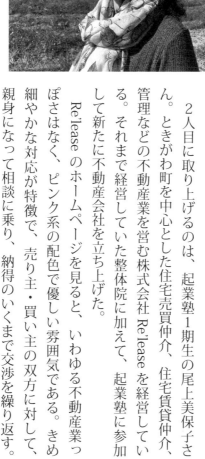

　仕事にかける熱量は傍で見ていても明らかなほど高い。尾上さんはとにかく行動の人だ。その熱意が行動から伝わってくるので、顧客だけでなく、仕事仲間からの信頼も厚い。

　時には、山主に付き添って、測量業者とともに自ら山の中に分け入ったり、測量を手伝ったりすることもある。それも実に楽しそうに。こうしたやり取りができるのも、彼女に対する地元の信頼感の証だろう。ヘルメットや登山靴、動きやすい服装は、彼女の常備品である。とにかくよく動き回り、いつも忙しそうだ。

ときがわ町に不動産業というお金を稼ぐ「しごと」とお金を使う場を生み出したことは、尾上さんの一番の功績だ。それによって、空き家という地域課題が、移住者を呼び込んだり、事業拠点をつくったりするための資源として活用されるようになったのである。

尾上さんが不動産業を始めたのはそう昔のことではなく、2018年2月のことだ。きっかけは、2017年の起業塾第1期に参加したことであった。

起業塾に参加して一番大きかったのは、「いろいろな人とのつながりができたことと、ランチェスター戦略を知ったこと」と尾上さんは事あるごとに口にする。

ランチェスター戦略とは、弱者必勝の戦略ともいわれている。起業塾においては、田舎のミニ起業家が必須で学ぶべき戦略として位置づけられている。つまりミニ起業家のバイブルのようなものだ。

ランチェスター戦略の主な4つのポイントは、「差別化」「小さな1位」「一点集中」「接近戦」に凝縮される。ランチェスター戦略を知った尾上さんは、起業塾に通いながら、忠実にそれを行動に移していった。自ら経営していた整体院を、ランチェスター戦略に基づいて改善に取り組む傍らで、目に留まったのは町に増えつつある空き家の存在だ。

きっかけは、空き家はたくさんあるのに、ときがわ町に興味を持って移住を希望する人がいても、物件がなかなか見つからないという声を聞いたことだ。地域の人の声を聞く中で、自分ができる役割、他との差別化を考えたとき、かつて不動産会社で営業として働いていた経験と、お年寄りと話をするのが好きという自分の強みが活かせるのではないかと気づいたのだ。

当時は、ときがわ町を専門とする不動産業者は存在しなかったので、まったくのブルーオーシャンであった。尾上さんは、ときがわ町での不動産業で一点突破することを決めた。

それからの行動は早かった。すぐさま開業に向けた手続きを始めた。まだ、不動産業の開業手続きが済んでいない2018年の1月のこと、尾上さんが起業塾の講座の中で語っている言葉が印象的だ。

私は、昨日、寄居町のセミナーに参加した帰りに「1月に、空き家の悩みをかかえている人達の募集をかけよう」と決めました。商工会の広告で募集します。幸い、私は、まだ不動産業は登録できていませんし、巷の不動産屋は賃貸の繁忙期ですし、丁度よいです。
まずは、住民の意見を直にきいてみることにきめました。そこが出来ないと空き家を発掘する事ができないからです。フライングスタートのネタは、ありそうで「これ」といったものがありませんが、動いていれば見つかる確信はあります。（なんとなく見えています）

（ときがわカンパニーブログより）

この言葉には、２つの重要なことが含まれていると私は思う。

一つ目は、答えはお客さんが持っているということ。これは関根さんが塾生たちに口を酸っぱくして言っていることだ。地域での仕事の場合、「お客さん」とは多くの場合、地域の住民である。住民の声を聞いて、欲しいと思っているものを提供し、困っていることを解決することが地域のビジネスになるということだ。

二つ目は、行動しないと何も始まらないということ。「とにかく行動」は尾上さんのモットーである。信念といってもいいかもしれない。頭でどんなに考えていても、何も起こらない。行動すれば何かしらの結果が出る。

当然、うまくいくことばかりではないが、うまくいかなければいかなかったで、そのやり方ではダメなのだと知ることができる。ダメなことが分かれば、次に向けて改善することができるのだ。

尾上さんは、自身の卒塾後も、二期生、三期生のメンター、サブ講師的存在として起業塾に欠かせない存在となっている。その時も、必ず行動の重要さを強調する。後輩の塾生の奮起を促すためということもあるだろうが、自身にも言い聞かせる意味合いもあるのではないか。人に言う以上、自分がまず体現者でなくてはならないからだ。

２０１８年のときがわカンパニーによるインタビューで、尾上さんは次のように語っている。

起業するには、まずフットワークを軽くする事。動かない人には人はついてきませんし、動かない人は、時間を無駄に費やし、時間や人生は無限にあると勘違いをし、人の時間も平気で奪っています。
動いて転んだら、動いている人達が必ず手を差しのべてくれます。
それは、動くと傷ついたりする事も多いということを、動いている人達は知っているからです。
（ときがわカンパニーブログより）

現在、ときがわ町の空き家活用や移住支援は、尾上さんがいないと成り立たないといっても過言ではないだろう。新しく家を建てた人、移住してきた人に聞くと、「尾上さんの紹介で」と口をそろえたように語る。それほど尾上さんの存在が、町の人に認知され、信頼されているのだ。

このようにして尾上さんは、ときがわ町に不動産業というお金を稼ぐ「しごと」とお金を使う場をつくり、新たな地域の経済循環の重要な歯車の一つになっているのである。

④ 久保田ナオ

比企起業塾1期生、アートディレクター、イラストレーター、グラフィックレコーダー

地域ブランディングで「比企を、子どもが誇れる地域に」

3人目は、尾上さんと同じ起業塾1期生で、比企郡滑川町在住のアートディレクター、イラストレーター、グラフィックレコーダーの久保田ナオさん。屋号は「やわらかく」。

彼女が思い描く未来は、「すべての子供達が、自分が育った町を愛し、自慢しあう世界になること」だ。ビジュアルの力で、町の魅力を伝える地域ブランディングの仕事を手掛けている。

久保田さんは福岡県のベッドタウン育ち。大学進学とともに上京し、都内でデザイナーとしての経験を積んだ後、現在はフリーのイラストレーターとして独立している。

2014年には、同じく神戸近郊のベッドタウンで育った旦那さんと、「車がバンバン通る都会よりも、自然の多い場所で子育てしたい」と意見が一致し、滑川町に移住した。

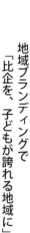

ときがわ町のことを知ったのは滑川町への移住後のことだ。自宅からときがわ町へは車で15分ほどの距離で、今では蛍を見たりキャンプをしたり、毎週のように家族でドライブに通うほどのときがわファンである。旦那さんとは、「先にときがわ町を知ってたらときがわに越して来たのに」とよく話しているのだとか。

仕事をしていないと自分の存在意義が揺らいでしまう性格だという久保田さん。子どもが小さい頃は、保育園に預けてフルタイムで働いていた。しかし、育児をしながらのフルタイム勤務は想像を超える忙しさ。本人いわく、「コンビニにちょっと寄ってティッシュを買い足すための2分間すら作ることができないほどだった」という。

せっかく自然豊かな地域で子育てをしているのに、子供の感性に寄り添えない時間的制約が嫌で、フリーランスで働くことを決意した。独立して3年たった今では、毎年順調に仕事の単価も上がり、マイペースな子どもにじっくり付き合うことができるようになったと語ってくれた。

独立したきっかけは、起業塾第1期に参加したことだ。独立前は、どうやって比企でお客さんを見つけるか、どうやって地域に入っていくかなどの具体的な進め方がまったく見えず、もやもやした気持ちと不安を抱えていた。そんな時に起業塾の告知を見つけて、すぐに応募したという。なんと、見つけたのはYahoo!ニュースアプリだったそうで、情報発信の大切さを思い知らされるエピソードだ。

意を決して参加した起業塾では、徹底してお客さんづくりについて学ぶとともに、自分が抱えていたモヤモヤを分解してみると「不安定な収入」「営業先」など、どれも解決可能な問題であることに気づいた。また、戦術よりも戦略を優先して考えるようになり、広い視野を持ち、長期スパンで物事を考えられるようになったという。

そんな中、在塾中に「比企の起業家巡りツアー」のポスターデザインを、埼玉県川越比企地域振興センターと関根さんから任されたことは貴重なファーストステップとなった。そこで得たものは、個人としての仕事で収益を上げたことだけではなく、地域で「しごと」をしたからこその手応えと実感だ。地元にポスターを納品すると、自分が見かける場所に飾ってもらえる、しかも知人から「みたよ！」と声をかけてもらえることに衝撃を受けたという。

そして、卒塾と同時に、同期や先輩起業家に背中を押され、「えいやっ！」と独立開業。卒塾時の活動報告会では「ご祝儀発注、お待ちしております」と堂々発表した。すると、なんと本当に「ご祝儀発注」が舞い込んだのだそうだ。この出来事は、起業塾生の間では伝説として語り草となっている。起業塾に参加したことにより、最初の一歩を踏み出す勇気と、スタートダッシュとなる仕事を獲得できたことは、今の彼女の自信につながっている。

なお、先の「比企の起業家巡りツアー」のポスターには後日談がある。地元でつくったポスターは、「あのテイストのデザインをつくる人」と地元企業に認知される効果も生んだのだ。約一年後にそのポスターを見た株式会社温泉道場の担当者から、「あのテイストでつくってほしい」とリーフレットデザインを依頼されたのである。地元で個人の名前でつくるポスターは、地域への訴求力が強く、次の仕事を呼び込んでくれる営業マンとしての役割もあることを実感した出来事だった。

こう書くと順風満帆な起業への道のりだったように思えるが、決してそうではない。今でこそ、地域のアートディレクターを名乗るほど実績を積み上げてきた久保田さんだが、数多くの失敗も経験している。

たとえば、ただでさえ忙しい育児とフルタイム勤務に加えて、起業塾に参加したことで体調を崩したことがあった。その後、時短勤務に切り替えて体調は戻ったものの、同僚に迷惑をかけてしまったという。ほかにも、会社に辞意を表明したものの、安定収入がなくなる不安で眠れなくなったことや、フリーランス初心者の頃に、同じく発注初心者のクライアントと仕事をしたら、進行管理をどちらもしておらず納期がギリギリになったこともあったそうだ。

また、クライアントの要望をそのまま取り入れたり、逆に自分のつくりたいデザインを作ってしまったりしたことで、売上や集客などの実績が出ないという辛い経験もしている。その失敗をしたことで、正しい効果を生むためには、クライアントの要望とデザインとしての機能、そのどちらかに偏ってはいけないという大きな気づきになったという。

久保田さんは、「そのさじ加減は失敗しないと学べないものだった」と語る。失敗を、「失敗」として終わらせない。行動したからこそ起こる失敗であり、そこにこそ大きな学びがある。まさに起業家スピリットを象徴するようなエピソードであった。

比企という地域で仕事をしていくにあたって、久保田さんが疑問に思い続けていたことがある。それは、「なぜ埼玉の人たちは地元を謙遜するのか？」ということだ。郷土愛全開の福岡県で育った彼女にとっては、それがとても不思議に映ったという。

この疑問を深掘りしていくと、「地元肯定感を上げることは、自己肯定感をあげることにつながるのではないか」という仮説が見えてきた。彼女は、その実証も兼ねて、自分の子供のためにも「比企を、子どもが自慢したくなる町にする」ための地域ブランディングを掲げている。

地元肯定感を上げることは、自己肯定感を上げることにつながるという考えには、私もまったくの同感だ。地元肯定感が高く育った子どもたちは、地元に愛着や誇りを持っている。そういう子どもは、そこで育った自分に対しても自信を持てる。また、進学や就職で地域の外に出ていったとしても、結婚や子育てを考えるときも、心身面での不安を感じて環境を変える必要を感じたときなども、いつでも地元に戻れる安心感があるのではないか。地元とのつながりがあるといってもいいかもしれない。そうしたことが心の支え、強さにもなるからだ。

地域ブランディングの話に戻ろう。彼女の現在の仕事先としては、東京と比企は半々くらいというが、その性質には大きな違いがある。東京での仕事は、大きなプロジェクトのごく末端だけを任されることが多いのに対して、比企ではプロジェクトの序盤からの共創型（パートナーとして共に伴走する）ブランディングの仕事が多い。そのため、後者の方が、大きなやりがいと楽しさを感じるそうだ。地元民であるという当事者意識と、仕事上のパートナーであることの当事者意識をともに感じることができるということだろう。

また、地元の仕事を受けることは、地域ブランディングとは別の側面もある。それは当たり前のことだが、地域に経済の循環を生み出すことができるという点だ。比企または埼玉県の仕事を東京の企業が受注してしまうと、東京の企業にノウハウと実績が蓄積され、地元からはお金や人材が流出するだけである。それが日本という大きな範囲で起きているのが、今の東京一極集中である。

これを、久保田さんのような地元デザイナーが受注したらどうなるだろうか。地域の仕事を、地域の人材が担うことができ、ノウハウや実績が地域に蓄積されていく。当然、お金も人材も地域で循環することになる。もちろん足りない部分は地域外のリソースを借りたり、余剰分で地域外の仕事を担ったりすることも可能であるが、埼玉県の人口ポテンシャルを考えると、かなりの割合を地域で「内製化」していけるはずなのである。

こうした地域の循環が回りだすと、大人たち自身の地元に対する肯定感は高まり、それが子どもたちにも引き継がれていくのではないだろうか。「やわらかく」のWebサイトには、このように述べられている。

「地元を、子どもが自慢したくなる町にする」ことは、その町に住む大人が果たすべき責任でもあるのではないでしょうか

比企での「しごと」づくりを通じて、「地元を、子どもが自慢したくなる町にする」を実現しようとする久保田さんの視点は、まさしくまちづくりに欠かせない視点を提供してくれる。

「ときがわ町は、来るものを拒まず。ちょびっとだけの関わりもウェルカムという空気がありますす」と久保田さん。地域ではヨソ者は排除されるんじゃないかという思い込みがあったが、ときがわ町の人たちの柔軟性と包容力に驚いたほどだという。同時に、起業家マインドのある若い人が多く、深いつながりになりやすいということも感じていた。

また、ときがわ町には完璧を求めない「いいゆるさ」があるとも語る。例えば、東京では見せられないような「甘々な」試作でも、ときがわ町でなら仲間に見せられる。感想をもらいながら改善を重ね、より地元の人に響くものがつくれる。こうしたいい意味での「ゆるさ」もデザイナーとして感じているときがわ町の魅力だ。一人で抱え込まず、周りを巻き込んで

いけるということだろう。巻き込まれた側も、生まれてくるデザインに必然的に愛着を感じやすくなる。

これまでは、比企を全国的な知名度のある町にしたいというやる気に満ちていた久保田さんだが、最近では心境が変化しつつある。ときがわ町は、踏み荒らされると消えてしまうような、ささやかな魅力が多い。そのため、世界の人に広く知ってもらう活動よりも、「知る人ぞ知る秘境ポジション」で、ライトファンがより濃いファンになるような活動をつくっていきたいと今後の意気込みを語ってくれた。

久保田ナオさんの作品

5 福島だいすけ

比企起業塾2期生、ライター、古民家民泊ほっこり堂、養鶏業

「トカイナカ」の編集者。インバウンド向け民泊業から養鶏業へ

4人目は、私と同じ起業塾の2期生の福島だいすけさん。2期生の中では頼れる兄貴的存在である。屋号は「ときがわ編集舎」

福島さんは、2017年にときがわ町の秩父地域に近い大野地区という山の手の地域に古民家を買って移住し、民泊「ほっこり堂」を営んでいる。2020年は、新型コロナウイルスの影響で、主にインバウンド向けだった民泊は一時大きなダメージを受けたが、ターゲットを絞り込んだり、養鶏業を新たに開始したりするなどして、開業以来で

最高の業績を上げているそうだ。

ほっこり堂の名のとおりの「ほっこり」した外見からはなかなか想像できないが、福島さんは、かつては都内でバリバリ働くサラリーマンだった。都内の大学に通っていた学生時代

から、司法書士事務所やプロバイダー企業などで複数のアルバイトを掛け持ちして、寝る間も惜しんで働いていたという。卒業後も愛知県や神奈川県で企業に勤め、Webデザイナーとして毎日深夜まで働き、サウナに泊まるか、タクシーで2万円かけて家まで帰るかという日々。その後、複数回の転職を経験するが、常に「死ぬように働き、終始睡眠不足」という生活だったそうだ。

福島さんのnoteでは、そこから得た気づきが次のように自嘲ぎみに語られている。

俺も昔は1000万稼いでいいところに住んで、スポーツカー乗って、綺麗な人と暮らせば幸せと思ってた。

結果、全部手に入れても、それを維持し続けるには、さらに稼ぎ続けなければならない。他人基準の幸せに、上限は無い。だから永遠に満足出来ない。

その後、福島さんは、自分の軸・価値観に沿った生き方や働き方を模索するようになる。体に無理がたたって、体調を崩したこともあり、自身のペースで仕事をするためのライティングスキルの習得に取り組み始めた。そんな中で出会ったのが、高坂勝氏の『減速して自由に生きる　ダウンシフターズ』という1冊の本である。

いたずらに高収入を目指すのではなく、自分でコントロールできる時間を増やし、やりたいことをできる時間を増やして、生きづらさを解消する「ダウンシフト」という考えに衝撃を受けた。著者が営むバーを訪れたこともあり、今でも交流は続いているそうだ。

これを機に、福島さんは、自らの描くダウンシフトの生活を実現しようと、フリーランスとしてライターの仕事をこなしながら、小川町での半年間の有機農業研修を受講。研修終了後に、田舎での新生活を送る場所を探していたところ、空き家マッチングのボランティアを介して、縁あって今の古民家を手に入れることができた。

福島さんは「かなりの人見知り」と自身を評すが、田舎での民泊業は性に合ったらしい。開業から1年近くたったある日の note では次のように綴っている。やや長いが引用してみよう。

そんなわけで、なんとも嬉しいのは、宿を始め、ミニ図書館も始め、これからカフェも併設しようとしているんだが、居場所（コミュニティスペース）を作るってのは、ほんまに良いことだらけですわ。

インバウンドやってる、宿業してる、図書館してる、半農生活や田舎生活してるってことで、色んな人が来てくれる。

airbnb にワシのプロフィールも載せてるけ、お宿のゲストも田舎で静かに生業して生きているワシに興味持って来てくれる人も結構いる。

もはや、ワシのファンスペース・ファンコミュニティのような最高に居心地の良い場所でゴザるよ。

チラシなどの告知物を置きたいって話も良く頂いていて、広報のお力になれること、頼りにされてることも嬉しい限り。

ワシは、昔貧乏やったけ、人を家に呼べなかったし、呼べる家がうらやましかった。

結婚したら相方が色々と気にする人やったけ、これまた気軽に人を呼べんかった。

そこらへんの反動も激しく来てるだなや。

大学時代も大学の近くに住んでて、溜まり場的に友達が来てくれるんが、嬉しかった。

こんな、田舎の、さらに山奥の僻地に居場所作っても、会いに来てくれる人は来てくれる。むしろ、景色を遮るものが無い、騒音がない、ゆっくり過ごせる僻地だからこそ人が来てくれる。

何事もやってみないとわからないものやのぅ。

この場所が好きになってくれる人に囲まれて、ワシは最高に幸せぢゃよ(^^)

民泊のお客さんに限らず、いろいろな人が訪れてくる生活を楽しんでいることがわかる。また、宿を訪れたお客さんにも、必要以上に人に干渉せず、その人その人の過ごし方を尊重しながら、「何もない」ときがわ町の楽しみ方を提案したいと思っていることが伝わってくる。

ときがわ町で生活し、仕事をする上で福島さんがこだわっていることは、「地域の編集者」であることだ。万人向けを狙うのではなく、一番届けたいお客さんは誰なのか、その人にどう動いて欲しいのかを徹底的に深掘りする。民泊業のほかにも、観光協会や埼玉県、東武鉄道などとも連携した事業を手掛けているが、彼に言わせれば、それらはすべて「集めて・編む」編集業なのだ。

「ときがわ町は僕にとって天国のような関わりしろの町です」と福島さんは語る。「関わりしろ」というのは、地域に人が関わることのできる余白があることを表現する造語で、地域をよくするために人が関わることができる伸びしろがたくさんある状態のことを指す。

ときがわ町の関わりしろを見える化し、自分だけではなく、いろんな人にときがわ町の関わりしろをフル活用してほしいという思いから、2020年に作成したのが『ときがわ職人図鑑』である。ここでいう「職人」とは、深いこだわりを持った「なりわい・生き方」をしている人のこと。町内に住んでいる人だけではなく、私のように関係人口としてときがわ町に関わっている人も掲載されている。図鑑の主な目的は、「町内と町外町の人同士の人繋ぎ」、「子供達への誇り醸成」、「移住者向けのなりわい支援」の3つだ。まさに地域の編集者の本領発揮というところである。

最近では、ときがわ町や近隣の養鶏場で養鶏（有精卵）のノウハウを学び、養鶏業も始めている。自慢の卵のブランド名は「天空のたまご」。標高700mの山奥であることの強みをいかんなく発信している。単なる情報ではなく、町の資源そのものを目で見て、手に取れる形で再編集しているのだ。

ちなみに、天空のたまごのロゴは、久保田ナオさんが手掛けた。こうしたちょっとしたところにも、地域の仕事の循環を生みだそうという姿勢が見て取れる。「地域のプロ×地域のプロ」による贅沢な仕事である。

「ちなみに、俺は４１歳くらいから、ずーーっと凄く幸せ。明日死んでも後悔無いです。」２０２０年８月２５日のnoteではそんなことが記されている。そういう幸せな人を地域に増やすことが、今の福島さんの願いだ。

民泊ほっこり堂

比企起業塾2期生、野あそび夫婦、キャンプ民泊 NONIWA

⑥ 青木 江梨子

日本初のキャンプ民泊 NONIWAで生まれるコミュニティ

青木江梨子さんは、私と同じ起業塾の2期生である。夫の達也さんとともにキャンプが大好きで、「野あそび夫婦」という夫婦ユニットで活躍している。2019年には、ときがわ町に住所を移し、日本初のキャンプ民泊「NONIWA」の開業を実現した。

キャンプ民泊とは、その名のとおり「キャンプ」と「民泊」を組み合わせたサービスであり、キャンプ初心者を対象に、キャンプのハードルを下げ、とにかくまず楽しさを知ってもらうことをコンセプトにしている。

ときがわ町の今を語る上で、2人の存在をなくしては語れない。それくらい2人の存在感は、ときがわ町にとって大きなものになりつつある。「キャンプ」を切り口として、興味のある人たちが集まり、集まった人たちがつながり合って、また新たなコミュニティが形成されている。

最近では、地元の人と一緒に料理をして、ときがわらしい風景とともに食べる「ときがわばっかり食堂」や、2020年の新型コロナウイルス拡大による緊急事態宣言を受けてオンラインで「ときがわ若者会議」を開催するなど、コミュニティづくりに関する活動を精力的に行っている。

また、Twitter、Instagram、YouTubeを中心として情報発信を行っているほか、近頃はアウトドア系の雑誌やメディア、県の移住関連のパンフレットでも多数紹介されており、地域内外に知名度や活動の幅が広がっている。


小さい頃から家族でキャンプに行くことが多かったという江梨子さん。夫の達也さんとは大学時代に知り合い、結婚した。仲間と一緒にキャンプにいったとき、達也さんもキャンプの魅力にすっかりはまってしまい、キャンプ初心者に、キャンプの楽しさを教えるうちに、将来、それを仕事にできないかと夫婦で語り合うようになった。

キャンプ初心者がぶつかる最大のハードルは、「不衛生な水場・トイレ、不親切な管理人」だと江梨子さんは語る。これらの問題を解決し、まずキャンプの楽しさを純粋に味わってもらえるような施設をつくろうと考えたのだ。

また、田舎への憧れもあった。もともとはテレビ番組制作会社のディレクターとして、全国を旅する番組を担当していた。全国の田舎町を訪ね、そこで生活する人を取材するうちに、自然の中で暮らす地方での生活に憧れを抱くようになる。そして、夫の達也さんと、地方での生活と大好きなキャンプを掛け合わせて、自分たちで仕事をつくることができないかという夢を描いたのだ。

夫婦で思いを共有した江梨子さんたちは、田舎への移住とキャンプ民泊の実現を決意。移住先を探しはじめたところ出会ったのがときがわ町だ。それまで千葉県や長野県などいくつかの候補地を見にいったがしっくりこないでいた。そんな中、偶然にも、後に登場する金子さんの「農家民宿 楽屋」を知り、ときがわ町を訪れたとき、自然風景に一目ぼれ。ときがわ町への移住を決心したという。

ときがわ町の風景の印象を聞くと、「こんもりした山が優しく見えた」という江梨子さん独特の表現。そのまなざしが優しい。また、その頃には、キャンプ民泊の具体的なイメージもわいていたので、ときがわ町で宿泊業（厳密には楽屋は簡易宿泊所にあたる）を営む金子さんから、事業についてのいろいろな話を聞けたのも大きかった。

その後の具体的な物件探しもいろんな困難にぶつかったが、江梨子さんたちは焦らなかった。資金や移住時期の目標は立ててはいたが、それにがんじがらめになるのではなく、ざっくりの目標として捉え、あくまで自分たちがやりたいことができる物件を探すことにこだわりぬいた。

じっくり良い物件を探すための環境も整えた。まずは、通勤に備えつつ、頻繁にときがわ町に通えるよう、都内にあった住まいを川越の賃貸住宅に移した。また、ときがわ町での生活を円滑にスタートするべく、町内の人脈を築くために、町の有機農業者が運営する直売所「ときのこや」で年に2回開催される「ときのこやまつり」というイベントにも出店した。

そしてついに理想の物件に巡り合う。テントを張るためのスペースも十分広く、川も近いという申し分のないロケーションだ。

だが、キャンプ民泊のオープンまでにはまだまだやらなければならないことが山のようにあった。訳ありで内装が途中の建物の内装工事、古資材の撤去、庭の雑草の駆除、看板づくり、などなど。江梨子さんたち2人ですべてをこなすには、膨大な時間と労力がかかるものと思われた。

ここで江梨子さんたちのコミュニティ力が威力を発揮する。自分たちがやろうとしていること、必要なものを積極的にSNSで発信したのだ。すると、彼らのビジョンに共感する仲間たちがすぐさま反応した。当時の江梨子さんたちのSNSでは、いろんな仲間たちが、NONIWAの完成のために協力して作業している様子が発信されている。

そして、ついにプレオープンを迎えた2019年4月。実は、私もたまたまその場にいたのだが、みんなでNONIWAの看板を備え付けた瞬間は感動的だった。江梨子さんたち夫婦はもちろん、それまで協力してきた仲間も、よくやったという達成感とともに、これから楽しいことが始まるという期待感に満ちた表情をしていたのをよく憶えている。

その後、5月には夫婦は正式にときがわ町に住居を移し、NONIWA の運営が本格的にスタートしたのだが、実は江梨子さんは NONIWA がオープンする前の２０１９年1月に、テレビ制作会社を既に退職していた。その退職時のエピソードも非常に興味深いのでご紹介したい。

江梨子さんは、それ以前にも一度、２０代半ば頃に会社を辞めたいと思っていた時期があったそうだ。アシスタントディレクターから晴れてディレクターとなり、番組を何本か制作しはじめていた頃のことだ。ディレクターになることを目標にそれまで必死にやってきたが、それが叶って目標を失い、思うような番組づくりができずに悶々としていた。このまま思い悩むならいっそ思い切って違う人生を歩んでみてもいいのかもしれない。漠然とそう考えていたのだという。

だが、それを上司と父親に打ち明けたところ、二人とも退職に反対した。「もう少し頑張ってみたら？」という上司の言葉に後押しされ、次に制作した1本の番組が楽しくて、そこからまた番組づくりにのめりこんでいったそうだ。この時点でも、うっすらと田舎への移住に対する憧れはあったが、まったく具体的なイメージはなく、老後の話だと思っていたという。

転機は、旅番組を担当するようになって3年ほどたった２９歳の頃だ。「人生の節目」だと思っていた30歳を目前にして今後の人生を考えた時、「旅先で取材した皆さんはみんなイキイキしていた。自分も皆さんのような生活がしたい！」と移住を決意した。そして移住先をいろいろ検討する中でときがわ町と出会い、「キャンプ民泊」をつくるという目標を定めてから、2018年6月に退職の意思を告げたのだ。

すると、今度は上司も親も心から応援してくれた。おそらくテレビの仕事が人生の糧となり、確実にやりたいことが見えていることが分かったからではないかと江梨子さんは語る。また、職場の上司は、起業初期は収入が不安定だからと、フリーのディレクターとして引き続き番組制作に携われる道も用意してくれた。

江梨子さんは、当時のことを振り返って、周りに応援してもらえるタイミングや周囲の人との関係づくり、自分のポジション獲得が大事だったということに気づいたそうだ。いきなりリスクの高い起業・移住に踏み切るのではなく、江梨子さんいわく「ぬるっとした移住」をゆるやかに実現することができたのは、周りと自分との関係づくりがうまくいったからなのだ。

似たようなことを夫の達也さんも経験した。NONIWAが完成し、モチベーションはキャンプ民泊に全力投球する方向に向いていた。ときがわ町から勤務先のある川越市まで、車で1時間の通勤が体力的にも精神的にもきつかったことも理由だ。

ただ、一方では不安もあった。江梨子さんがフリーでディレクター業を継続するとはいえ、不定期の仕事だ。いきなり夫婦そろって退職してしまって収入は大丈夫なのか。NONIWAがうまくいくのか…。

そこで達也さんが考えたのは、リモートでの在宅勤務を会社に提案し、現在の会社で働き続けるということだった。新型コロナウイルスの影響で、今でこそリモートワークが広がりつつあるが、当時はリモートワークや副業などをやっている同僚はいなかった。思い切って、上司にリモートワークで働きたいことを伝えたところ、意外にも週2回の出勤のほかはリモートワークという働き方を叶えてくれたのだ。

それまで7年間、営業として一生懸命やってきたことが評価され、信頼されていたからではないかと達也さんは語る。こうした周囲との信頼関係が築けていたからこそ、自分の思いを理解してもらうことができ、挑戦を後押ししてもらえたのだ。

そして、達也さんは今、次のステージに進もうとしている。２０２０年8月、ついに会社を退職し、NONIWAに全力投球できる環境が整ったのだ。現在では、ときがわ町の木工所で開発したアウトドア商品や地元のジュース工房とコラボした「HOT WINE MIX」がオンラインショップで好評を博するなど、意欲的に活動を広げている。

今のときがわ町は、江梨子さんや達也さんに代表されるような３０代前半の若者が一番元気であるように思える。外から見て、ときがわ町が元気だと感じるのは、彼らの活動によるものが大きいのではないかと個人的には思っている。

ちなみに、江梨子さんのニックネームは「エリー」であるが、今年に入ってからSNSのアカウント名を「ときがわエリー（tokigawa elii）」に変更している。「ときがわ町移住女子」を自称して憚らないほど、自他ともに認めるときがわ大好き女性である。住んでいる人が、住んでいる町のことを「好き」と公言できるというのは、当たり前のようでいて実はかなり貴重だ。こうした若者が現にいるというのも、ときがわ町に若者が引き寄せられていることのなによりの証左であろう。

キャンプ民泊 NONIWA

ときがわ町出身、比企起業塾３期生、製材業

⑦ 山口直

ドラマティックに林業再生＆ときがわ材の活用スタート

６人目は、起業塾３期生で、ときがわ町出身の山口直さん。現在は、県内にあるリフォーム会社の営業所長を務める傍ら、休日には地元ときがわ町の木材の活用や林業再生に向けた活動を行っている。

山口さんのミッションは、「ときがわ材の活用」である。実は、山口さんの父親が古くからときがわ町で製材所を営んでいた。勤める会社で住宅のリフォームに関する営業に携わるうち、国産木材の良さとときがわ材の価値を再発見した。

だが一方で、かつては林業で栄えた地元のときがわ町では、スギやヒノキなどの人工林が有効活用されないまま放置されている。このままでは宝の持ち腐れで、ときがわ材を生み出す森林が荒廃してしまうことに強い危機感を抱いたのだ。

そんな時に知ったのが、ときがわカンパニーの存在だ。知人のＳＮＳを通じてときがわカンパニーの起業家育成に興味を持つも、なかなか踏み切れなかったという山口さん。山口

さんと起業塾との出会いは、一つのドラマのようだった。

チャンスが訪れたのは、関根さんが鳩山町で出張起業相談会を開催したときだ。山口さんは、起業塾2期生の菅沼朋香さんが営む鳩山町の「ニュー喫茶幻」で、関根さんが出張相談会の打ち上げを行っていると知り、意を決して幻を訪れる。だが、店の前まで来るも、なかなか戸を開ける勇気が出ず、店の前を何度もいったりきたり。その日の天気は雨。ようやく決心がついた頃には全身びしょぬれになっていた。

インターホンが鳴り、菅沼さんが店の戸を開けると、そこには濡れそぼった山口さんの姿があった。その姿を見て、菅沼さんは「ドラマティック山口」と命名し、しばらくその名で噂されるようになったのだった。


ようやく最初の一歩を踏み出した山口さん。それからの行動は早かった。今度は、個人での起業相談のためにさっそくiofficeを訪れたのだ。そこで関根さんから、自身の強みが「売る力」であるとのアドバイスを得た。会社での山口さんの営業成績はトップクラスだったからである。ときがわ材の活用事業に向けたアドバイスを得た山口さんは、その日から毎日のようにブログで木材やときざわ材の良さについて情報発信することを約束し、それを忠実に実行している。約束を守ることは、ときがわカンパニーが大切にしているミニ起業家の心得である。

そして、翌年には起業塾の3期生に参加。そこで3つの大きな出会いがあった。

一つ目は、ときがわ町の住宅事情に精通している尾上さんと出会ったこと。二つ目は、尾上さんを通じて、ときがわ材の活用に力を入れている工務店の経営者と知り合ったこと。三つ目は、薬剤師でありながらも、ときがわ町の林業再生に取り組みたいと熱意を燃やす同志と出会ったことである。

山口さんは、この3人の仲間たちとチームを組み、ときがわ材の活用・普及に向けた事業を開始した。２０２０年2月の起業塾活動報告会で、その取組状況を報告する山口さんの姿は、かつて雨に濡れながら迷っていた弱々しさはみじんもなく、自信と情熱に満ち溢れていた。

起業塾を卒塾した現在、山口さんは新たな活動にチャレンジしている。父親が保有している作業場や製材機械を活用して、自ら製材技術の習得に乗り出したのだ。さらに、その活動の様子を、ＳＮＳや人づてに発信し始めた。

その矢先のことだ。なんと山の一角の樹木の伐採をお願いしたいという山主が現れたのだ。

製材技術の習得に励む山口さん

仲間とともに、２人３脚で、初めての仕事に悪戦苦闘しながらも、充実した日々を過ごす様子が、山口さんのＳＮＳでは綴られている。決して1回1回の文章量は多くなく、飾り気があるとはいえないが、ほぼ毎日欠かさず投稿されており、地道な活動をコツコツ積み重ねていることがわかる。思わず応援したくなるような、素のままの山口さんの姿が伝わってくる。

まさにドラマティックな展開であるが、この出来事のように、ときがわ町では口に出したことが現実になるということが多々ある。むしろ、そうならないことの方が少ないのではないかと思うくらいである。そのことは、２期生の福島さんも言っていた。ときがわ町では、やりたいことを口にすると、それを聞いた誰かが助けてくれたり、応援してくれたりするのだ。

このように町に住んだり、町で何か新しいことを始めたりする人を、放っておかない雰囲気がときがわ町にはある。また、それが決して恩着せがましくない。ごく自然な手の差し伸べ方なのだ。あたかも転んだ人に手を貸すかのような、それが当たり前であるかのような軽い態度。

こうした周囲からの応援を、山口さんも無駄にはしない。応援されているからこそ、それに応えようと必死になる。また、もし自分と同じように、助けを必要とする誰かが目の前にいたら、山口さん自身も自然に手を差し伸べるだろう。ときがわ町では、共に助け合い、応え合いがあり、それが今後も続いていくだろうという確信が私にはある。

比企起業塾3期生

⑧ ドレイパー愛《めぐみ》

5年間の移住先探しの結論は「ときがわ町」で夫婦一致

本書でご紹介する起業塾生の最後のメンバーは、3期生のドレイパー愛さん。イギリス出身の夫のマーク・ドレイパーさんとともに、2019年にときがわ町に移住した。

北海道、伊豆、瀬戸内海、関東、四国と、日本中を旅しながら移住先を5年探していたという愛さんご夫婦。ときがわ町を訪れたとき、ようやく二人の意見の一致を見た。「農家民宿 楽屋」を訪れたことがきっかけで知り合った、仲間と力を合わせて幸せそうに暮らす有機農家たちの存在が移住の決め手になった。田舎なのに、おもしろい人がたくさんいて刺激がある。そんなときがわ町に魅力を感じたのだという。

また、起業支援に取り組んでいた関根さんの存在も、移住の決め手の一つになった。移住したその年に、3期生として起業塾にも参加した。

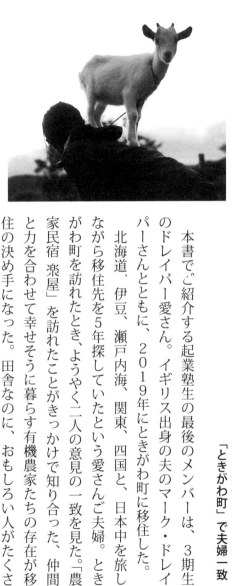

愛さんが思い描くのは、

「卵を産んでくれる鶏はみんな『コケコッコー』と鳴くのか？」

「鶏は一日に何個の卵を産むのか？」

「鶏は何年生きるのか？」

「洋服に使われている毛糸をくれる羊はどんな動物で、何を食べ、どんなことが好きなのか？」

といったことを考えたり、体験できたりする場所づくりだ。それによって、人間が動物たちから得ているものの意味を考えるきっかけづくりができたらと考えている。


２０２０年３月の起業塾の活動報告会では、その夢を「牧場民泊」と語った。動物たちと触れ合いながら、くつろげるような宿泊施設だ。だが、起業塾が終わり、夫婦でこれからのことを考える中で、目指す先は変わりつつあるそうだ。「今は、私達の生活に関わりの深い動物と人間との暮らしを自分で体験しながら、次を模索中です。」と愛さんは語る。

その言葉にあるとおり、愛さんは起業塾を卒塾して間もなく鶏を飼い始めた。そして、9月にはヤギも仲間入りしている。「動物と一緒に暮らしたい」と人に話していたところ、知人を通じて縁がつながったものだ。実際には、ヤギではなく羊を飼いたかったそうだが、紹介されたヤギに会って、その魅力に取りつかれてしまったのだとか。

鶏やヤギが暮らしている小屋は、ご夫婦の完全手作りで、餌もできるかぎり畑で育てた野菜や周辺に生えている草を与えている。ヤギに草を食べさせるために自宅周辺につないでいるため、ヤギの姿を写真に撮ろうとする人や、わざわざヤギを見るために散歩道に選んでくれる近所の方もいるそうだ。

愛さんと動物たちが出会う過程でも「口に出したら叶う」というときがわ町の不思議が起こっている。でも、実はこれは不思議なことでもなんでもない。「口に出して発信する、行動する」、これが何より大事なことなのだ。思いを口に出したり、行動したりすれば、それを見ていてくれる人が必ずいる。その中から、応援してくれたり、仲間になってくれたりする人が出てくる。起業塾で学ぶのは、まさにこうした人たちを呼び込む行動の大切さである。断っておかなければならないのは、ときがわ町が日本全国のどこのまちよりも優れているということを言いたいわけではないということだ。あくまで、彼女たちにとっては、ときがわ町が合っていたということにすぎない。

家選びと同じで、そもそも日本全国の地域と比較するなどということは不可能だし、希望の条件をすべて満たしてくれるまちなどどこにもない。もしあったとしても、最初は満足かもしれないが、どこか物足りないものを感じるようになるのではないか。欲しいものがなにもかも手に入る満ち足りた町では、自分が関わることで変化する余地がないからである。

逆に、足りないものがあると感じるまらだからこそ、そこを「なんとかしたい」「こういうふうにしたい」という気持ちがわいてくる。当事者としてまちに関わりたいと思う気持ちが生まれる、それがいわゆるまちの「関わりしろ」になるのではないかと思う。

愛さんも、この町に来て、いくつかの「しごと」をつくり始めた。

最初は、古い手ぬぐいを使って、手提げ袋をつくるというワークショップだった。手ぬぐいは、ときがわ町に昔あった店で配っていたもので、今住んでいる借家に保管されていたものだ。今はなくなってしまった店も多く、レトロなデザインも魅力的に思えた。大家さんは「自由に使っていいよ」と言ってくれたが、自分一人で使ってしまうにはもったいないので何かできないかと、ときがわカンパニーの関根さんに相談した。すると、例のごとく、その場で本屋ときがわ町でのワークショップが決定したのだ。

本屋ときがわ町で実施した2回のワークショップは大好評で、各回10人近くが参加した。中には、飾られている手ぬぐいを見て、以前ときがわ町にあったお店の思い出を懐かしそうに語る地元の方もいた。外から移住してきた愛さんが、以前の町の姿を地元の人に伝える媒介役を果たしたのだ。それも古い手ぬぐいを使っての手提げ袋づくりという新たな方法でである。

経済的価値という意味では決して大きくはないが、これはまさしく、地域での役割をつくったことにほかならず、愛さんがつくった「しごと」といっていい。

このほか、布ナプキンの製造や有機野菜の自給など、愛さんの「しごと」は、一見、自分の理想の生活を実現するための行為にも思える。でも、完全にはそうではない。自分ができるものや生活の中で欲しいものをつくり、余った分を他者にあげたり、売ったり、交換したりする。あるいは自分が良いと思ったものを周囲の人にもオススメする。自分の生活の中から生じた余剰分を他者にお裾分けするという、極めてシンプルな仕事の原型をはっきりと思い出させてくれる。

農家民宿 楽屋

⑨ 金子 勝彦

自給自足から、地域の担い手の育成へ

金子勝彦さんは、2015年にときがわ町に移住し、農業と民宿を掛け合わせ、自給自足をテーマとした「農家民宿 楽屋《らくや》」を営んでいる。なぜ自給自足なのかというと、「食べ物を自分で作れさえすれば、生きていくための基盤、セーフティネットになる。そうすれば、生きる上での不安がなくなり、その上になんでも積み上げられる」からというのが持論だ。

彼の最大の特徴は、ときがわ町で「しごと」をつくり出していることだけではなく、農家民宿を訪れたお客さんの移住相談も行っているという点にある。実際、農家民宿の開業後4年間で、なんと5組の家族がときがわ町に移住したという実績がある。

金子さん自身がときがわ町に移住を決めた理由は2つある。一つ目は就農の際にお世話になった恩人の存在だ。実は金子さんには、農家になる以前にもさまざまな経歴がある。まず、

大学を卒業してすぐ工場の熱利用システムを供給する会社に就職したものの、半年ほどで辞めた。サラリーマン特有の人間関係になじめなかったのが理由だ。また、転職した会計事務所も半年で辞めている。

次に選んだのは。料理人の道だ。沖縄県での半年間のアルバイトで手応えを得た金子さん、本格的に料理の道に入りたいと都内の寿司屋で３年間の修業を積んだ。その後、ワーキングホリデーを活用してオーストラリアで３年弱、ホテルで朝食のビュッフェから夜のアラカルトまで任されるようになった。そのうち、九州の寿司屋のデパート内店舗勤務やカフェチェーンの香港でのカフェの立ち上げなども担当するなど、日本の地方都市や海外も飛び回り、忙しく働いていたという。

１日の労働時間が17時間という時代もあったというから相当過酷だったようだ。ある時、体調を崩して病院に行くと、診察した医者からは「あんたボロボロだよ」と言われたこともあったほどだという。そんなこともあり、消費型の働き方に限界を感じるようになり、「自然の中で暮らしたい」という思いが芽生えていった。

金子さんは、香港から帰国して、実家のある埼玉県に戻り、福祉施設に給食を提供する会社に転職した。大きなレストランと違い、決められた数の食事を作りさえすればよく、寝る時間もない過酷な生活から解放されると考えたからだ。だが、そこで奮闘した結果、実家から離れた場所で大きな店舗を担当してくれないかとの会社の指示があった。金子さんはそれを断り、会社を退職することとなった。

そのようなところへ、縁あって非電化工房（栃木県那須町で、エネルギーやお金を使わない豊かな食や住、仕事づくりを実践・発信している非電化工房）が主催する自給自足大学に巡り合う。1年間の研修所生活の中では、野菜づくりをはじめ、家具づくりや家の建て方までを学んだ。金子さんの自給自足のための生活の術は、ここで身につけたものがベースである。売るためではなく、自分が生きていくための自給自足を目指したカリキュラムであったため、正確には金子さんがやっているのは農業というよりも、自給自足のための野菜づくりが主たる目的である。

そして、自給自足大学を卒業し、自分の畑と住まいと店ができる場所を考えたときに決定打になったのが、ときがわ町の隣町に住む新井さんだった。金子さんは、新井さんを「恩人」だと語る。新井さんは県の農業大学校の元教員で、農家や農業委員会とのパイプを持っていた。金子さんは、非電化工房のプログラムに参加する前、福祉施設で働いていた頃に、その新井さんの紹介で農地を借りて、その温かい指導のもとで土いじりを始めていたのだそうだ。

だが、金子さんが非電化工房のプログラムを終える直前に新井さんが亡くなり、弔問に行ったときに新井さんの息子さんの勧めで、ときがわ町にあった新井さんの別邸を借り受けることとなった。それが「農家民宿 楽屋」の始まりである。農家になる時、そして民宿を開業する時の、新井さんとその息子さんという地元の名士の理解と援助は、大きな助けであり信用になったと金子さんは語る。

ちなみに「楽屋」という名前には、つい根を詰めてしまいがちな自分への戒めとして「気楽にある」ことを忘れないように、そして来てくれたお客さんに「楽しんでもらいたい」という意味を込めた。明覚駅から徒歩5分という好立地（現在は、町内の別の場所に移転）で、広さも十分な和風建築の物件を借りられたのは、まさにご縁である。

ときがわ町に拠点を決めたもう一つの理由は、若手の有機・無農薬の農家コミュニティ「ときのこや」があったことである。自給自足大学に参加する以前に、ある喫茶店のオーナーから「ときのこや」のメンバーを紹介されて会いに行ったことがあった。そして、自給自足大学を卒業して、土地と家を探しているときにふと思い出して、再びその農家を訪ねたという。

実はその頃、金子さんにはいくつかの選択肢があった。自給自足大学の卒業後に、非電化工房の助手として働かないかと誘われていたこと。山口県、福井県のそれぞれ知人を通じて、農地と家があるので移住して来ないかと誘われていたこと。いずれも魅力的な選択肢であった。

しかし、金子さんが選んだのは、ときがわ町での生活だった。お世話になった新井さんと、ときのこやの農家という2つの人との出会いが、金子さんをときがわ町に導いたのだ。

農家民宿 楽屋は、２０１９年に町内の別の場所に移転したが、そのときもときがわ町から出る選択肢は考えもしなかったと金子さんは笑う。もちろん耕作している農地のこともあるだろうが、ときがわ町の「コミュニティの良さ」が気に入っていたからだ。

たとえば、典型的なのが「ときのこや」のメンバーの関わり方だ。「ときのこや」は、農業法人のような組織ではなく、あくまで一人ひとりの農業経営者の集まりである。つい競争意識が出てしまうのではないかと思えるが、ビジネスというより、どちらかという仲間づくりがメンバーの主な参加動機になっているようだ。

ときがわ町以外の農家もメンバーになっており、実家が農家だった人はいない。農機具を貸し借りしたり、各自の農法を気軽に情報交換したりすることも行われている。それぞれが独自の活動し、依存しあうこともなく、「ときのこや」での直売という共通項のみを連携して行う。ゆるいつながりのある仲間といった感じである。

金子さん自身も、移住した人に対して、移住後はあえて自分から必要以上に世話を焼かないようにしている。そうしないと、自分から地域に入っていこうとしなくなるし、金子さんに依存してしまうからだ。こんなところにも、自給自足の精神が表れているようである。ゆるくつながっているくらいでいい。お互いが好き勝手やっていて、干渉しない。だから一人ひとりの個性が際立つ。それがときがわ町のコミュニティの特徴ではないかと金子さんは語ってくれた。これこそまさに、「どうぞどうぞ精神」である。

民宿のお客さんの移住相談に対しての金子さんのスタンスにもそれが表れている。最初から「ときがわ町ありき」ではなく、まずその人がどういう暮らしをしたいのかを問いかける。

別にときがわ町でなくてもいい。その人にとって、どういう生活が一番いいか、それにはどういう地域が合うのかを一緒に考えるのが金子さんのスタイルである。そうして、その人がおもしろい人になってくれたら、金子さん本人も嬉しいのだ。

そんな金子さんの現在の最大の関心事は「教育」である。お客さんからの要望として、「子どもに自然を見せたい、触れさせたい」という声が増えているのだという。子どもとは、すなわち「未来の人」であり、教育とは、その未来の人を育てることにほかならない。地域を維持するためには、地域の未来の担い手である人を育て、引き寄せる必要があるのだ。

また、未来の担い手を育てなくてはならないという課題は農業においても同じだ。耕作する人がいなくなれば農地はあっという間に荒れ果て、耕作放棄地になってしまうからだ。ときがわ町に移住する人を増やすことは、行政だけでなく、金子さん本人にとっても非常に大きな関心事なのだ。

だから、金子さんは、農業と民宿を掛け

農家民宿ではヤギも飼っている

合わせることで自分の生活の基盤が確立できた今、自分の強みである自給自足という切り口から、自分ならではの移住相談に本格的に取り組みたいと考えている。都会とうまくつながることで、ときがわ町にヒト・モノの循環をつくることが金子さんの目指すところである。

これらのことは、誰に頼まれたわけでもない。すべて金子さん自身の問題意識から生まれたことだ。こうしたことを自発的に考え、ジブンゴトとして行動している金子さんは、町内の人にとっても町外の人にとっても、非常に貴重な存在なのである。

ときがわブルワリー

⑩ 小堀 利郎

ビールではなく、ジュースだからできた地域との関わり

小堀利郎さんは栃木県出身。10年以上前にときがわ町に居をかまえ、ジュースを製造・販売する「ときがわブルワリー」を営んでいる。

元々は、東松山市に住んで研究職として働いていたが、堆肥の研究をしている中で、廃棄物のルールについても詳しくなったことで、廃棄物コンサルタントとして自分の会社を創業した。いろんな企業から話を聞くうちに、意外に産業廃棄物に関するルールやノウハウが知られていないということに気づいたからだ。

自分の会社をつくったので、通勤しなくてもよくなったことと、ものづくりがやりたい、特に「ビールを作りたい」という気持ちがあったことから、もっと環境の良いところに拠点をかまえようと物件情報を探し始めたのが、ときがわブルワリーの始まりだ。

ビールを作るための工場を建てるには、土地利用の規制が厳しい市街地では難しい。だが、

その点、ときがわ町は規制が比較的弱かったことから、ときがわ町を拠点とすることに決めた。ビール製造に使う加工用の機械は、はるばる山口県まで行って買い付けたものだ。最初はこれを使って、小さくビールづくりを始めるつもりだった。

しかし、ここで問題が発生。ビールは酒類のため酒税法の許可を得るためには長い時間や手続きが必要なのだ。そこで、ビールを作れるようになるまでのつなぎとして、ビール用の機械を使ってジュースを作ろうと考えたのだった。

まずは、地元の伝手をたどって、地元の農家が作ったゆずやブルーベリーといった果実を集め、それらを使っていろんなジュースを作ってみた。それを地元の賀詞交歓会で提供したところ、大好評。特に、ときがわ町の前町長の関口定男さんからもらった「ビールよりもジュースの方がいいんじゃないか」という一言が、ジュース製造への強い後押しになった。

実は、小堀さん自身も、ジュースの試作に取り組むうちに、ビールよりもジュースの方が大きな可能性があるのではないかと気づきはじめていた。理由はいくつかある。まずビールでいうと、地ビールとして話題にはなるが、どちらかというとお土産や贈答品というイメージであること。そうなると販路は限られる。また、ビールは発酵が必要なため、どうしても年間の製造量に限りがある。場所や設備の規模によって売上が制約されてしまうことが課題だった。

その点、ジュースは日用使いのほか、贈答用や加工用としても汎用性がある上に、発酵期間が不要なので、回転数しだいで場所や設備の規模に制約を受けずにビジネスを展開することが可能だ。

また、調べてみると、食品衛生法において求められる設備の基準に関しては、ジュースの方がビールよりも条件が厳しく、ジュース加工を手掛けている企業が意外に少ないということが分かった。基準が厳しいということは、イコール参入障壁が高いということである。

その証拠に、今では、埼玉県内だけでなく、全国から地元果物を使ったジュースのOEMの相談がときがわブルワリーに舞い込んでくるほどだそうだ。なにより、原料がほぼ麦に限られるビールよりも、ジュースの方がいろんな果物での応用が利くため、地元への経済的な波及効果も大きい。

「ビールをつくりたい」と公言していた手前、「やっぱりジュースにします」と自分からはなかなか言い出せなかったというが、関口さんの「ジュースにした方がいい」との言葉がきっかけとなり、お墨付きを得たような形でジュースにシフトすることができた。

その後、しばらくは「ビールはいつできるのか？」と期待する人もいたというが、今ではジュースの製造が順調ということもあって、ようやく「ときがわブルワリー＝ジュース加工の会社」というイメージが浸透したそうだ。

それから、ときがわブルワリーは、大野地区の山の上に工場で10年以上もジュースの加工を続けてきたわけだが、実は、ここは旧都幾川村の保育園だった場所だ。土地と建物は、保育園だったころの建物をそのまま活かして町から賃貸借している。そんな場所を、町外から来た小堀さんが借りられたのは、西澤明彦さんからの紹介があったことが大きい。役場との交渉にあたって西澤さんに仲介をお願いしたところ、スムーズに役場の協力を得ることができた。地元で活動している人が間に入ることで、安心感につながったのだという。そのほかにも、西澤さんからは、ジュースの試作用の原料の調達など、おしみない協力があった。

地元の人たちからのサポートがあって、今の事業ができているという感謝の気持ちを、小堀さんは決して忘れない。ヨソから来た者だからこそ、地元とのつながりが必要なんだと小堀さんは語ってくれた。ビールよりも、地元農産物の買取で貢献できるジュースを選んだのも、地域への貢献性を考えたからだった。

ときがわブルワリーの主力商品は、桂木ゆずを使ったジュース類や加工用の果汁である。ゆずの使用量は、年間で40ｔ以上にもなる。毛呂山町産が多いが、ときがわ町産もある。当初は売れ残ることもあったが、ここ数年は需要が急増しており、原料のゆずが足りない状態だという。今後は全量買い取りで生産農家が栽培量を増やしやすくしたり、自分でも畑を借りてゆず栽培を始めたりすることも考えているといい、地域への貢献は増すばかりだ。

また、今後は新商品開発や原料の有効利用にも注力するつもりだ。新商品開発では、ゆずを使ったコーラやジンジャーエールなど、消費者受けのよい商品開発・販売を進める。原料の有効活用では、これまでジュースを絞ったあとの皮を使い切れておらず、廃棄することもあったが、冷凍設備を拡張することで、保存期間を長くし、収益化を図ることを考えている。ゆずの香り成分は、皮の油に多く含まれていることから、アロマオイルなどの原料として需要が増えているのだそうだ。特に、ときがわ町周辺の桂木ゆずは、ゆずで有名な高知県産のものに比べて皮の部分が厚いのが特徴で、その分、果汁が少ない。そのため皮を有効利用することで、収益力が飛躍的に向上するのだという。

順調に事業が展開しているように見える小堀さんだが、周囲から反発されることも多かったようだ。「ヨソ者」や「何にもわかっていない」と面と向かって非難されたこともあるという。普通なら委縮してしまいそうなところだが、小堀さんは違った。

自分が間違っていれば謝るが、悪いことをしていないのであれば謝ることはないと自分を貫き通した。わざと悪ぶりすることはないが、良い子ぶりもしない。正直な気持ちで相対してきた。相手に媚びるのでも、相手を遣り込めるでもなく、正面から対峙してきたのだ。

理解してくれた人もいるし、反発していた人もいるが、それはそれでいいと小堀さんはいう。「ときがわ町の良いところは、一枚岩じゃないところ」と小堀さん。普通、「一枚岩じゃない」というのはマイナスに聞こえるが、ここではそうではない。組織に属している人が団結して何かをしようとするのではなく、個人が好き勝手にやっているという感覚である。

そのため、何かにつけて反発する人も、何かの組織の看板をバックにしてやっているのではなく、あくまで個人で反対しているだけである。工場として使える場所をあっせんしてくれた人のように、味方をしてくれた人もいる。だから、小堀さんも、個人対個人の問題として、臆することなく正面からぶつかればいいと思ったのだ。

集団主義ではなく、個人主義。強い中心ではなく、元気な複数拠点。そういったときがわ町の特徴が、このようなエピソードにも見え隠れしているように思う。

11

山﨑 寿樹

株式会社温泉道場
代表取締役社長執行役員兼グループCEO

**地域の活性化には、
仕事とリーダーをつくることが必要不可欠**

最後に登場するのは、ときがわ町に本社を置く株式会社温泉道場（以下、「温泉道場」）の代表取締役社長執行役員兼グループCEOの山﨑寿樹さん。グループCEOとあるとおり、温泉道場はときがわ町だけでなく、県内を中心に複数拠点を構えている。特に、運営する温浴施設の代表ブランドである「おふろcafé」は、県内のみならず、北海道や三重、滋賀などの県外でも展開している。

このほかにも、埼玉県越生町のO Parkのような複合施設の運営も手掛けている。意外なことに、県外からのコンサルティング案件の方が多いらしいが、最近になって県内からの相談も増えているそうだ。

山﨑さんはときがわ町の生まれではなく、同じ埼玉県の幸手市出身だ。ときがわ町へは、小学校に入る前に一度だけ来たことがあるくらいだったという。なぜ、ときがわ町で会社を構えることになったのだろうか。

きっかけは、コンサルティング会社の社員時代。日帰り温泉や観光施設を専門分野としていた山﨑さんは、コンサルタントとしてさいたま市の白寿の湯の再生を担当していた。1年ほどコンサルタントとして関わっていたが、赤字経営は改善せず、所有者から、白寿の湯と同グループの玉川温泉の2店舗を引き継いでもらえないかとの打診があったという。もともと20代で起業することを予定していた山﨑さんは、これを機に一念発起して起業したのだ。2011年のことだった。

起業といってもまったくのゼロからではなく、元々の社員を引き受けてのものだ。しかも、当初から赤字を抱えている。ゼロというよりマイナスからのスタートである。経営は想像以上に苦労したという。3人の仲間とともに会社に入り経営に当たったが、赤字経営を繰り返している会社には赤字体質が染みついてしまっている。まずは社員の意識改革が必要だった。

一方で、都内の大手コンサルティング会社のコンサルタントとしてバリバリ働いていた頃からすると、埼玉県の片田舎の会社経営というと「都落ち感がすごかった」という山﨑さん。地方創生という言葉も、今ほどは注目されていない時期のことだ。

事業を大きく伸ばし、会社が成長していくためには地域を活性化することが必要だ。だが、その前にまずは会社を立て直し、赤字経営から脱却しなければならない。その思いが強まっていった。

そこで取り組み始めたのが、新卒者の採用である。染みついた赤字体質を変えるには、いわれたことしかやらない・できないのではなく、自ら考え、行動し、仕事をつくり出すリーダーを育てることが必要だと考えたためだ。リーダーとはすなわち、経営者になりえる人材ということだ。温泉道場は２０２５年までに、５人の経営者を育成することを掲げている。

山﨑さんが、リーダーを育てることを目標に掲げるのは、日本のある現状に強い危機感があるからだ。それは、他人に依存する生き方をするサラリーマンが増えていることである。何より都市部への人口の流出が続く地方圏において、経済を活性化し、地域を元気にしていくためには、地域で仕事をつくり出していくリーダーが必要であるという信念がある。

こうした人材育成における山﨑さんの経営者としてのスタンスは、「プロデューサー」であることだ。社員一人一人がタレントであり、山﨑さん自身はどうしたら彼らの個性が引き立つか、強みを発揮できるかを考える。決してマイクロマネジメントはしない。マイクロマネジメントではリーダーは育たないというのが持論だ。新しい事業をつくる際は、「メンバーのテンションが上がるかな」「あの人に担当してもらうといいかな」と、社員の顔を思い浮かべながら構想を練るのだという。

こうしてできあがったのが、山﨑さんがこれまでの最高傑作と語る、温泉道場の「社風」である。社員一人一人が、とにかく何事も楽しんで、おもしろがって取り組む社風がようやく根付いてきた。

その様子は、同社のブログからもよく分かる。ブログには、必ず投稿した社員の名前が明記されている。その内容が実におもしろい。書いた本人も本気で楽しんでいることがわかる文章だから、思わず引き込まれてしまう。決して、受け身とか嫌々では書けない文章だ。まさしく、自分で仕事をつくるリーダーとしての素養が培われていることがうかがえる。

また、同社のホームページで目を引くのは、社員一人一人の名前と顔、所属、肩書を公開していることだ。一般的には、代表取締役などの経営層のみの紹介にとどまることがせいぜいだ。ここまで公開している会社は少ないのではないかと思う。

社員一人一人がタレントであるというのが山﨑さんの方針だからというのもあるが、理由はもう一つある。それは、社員一人一人の顔が見えるようにすることで、一人一人に温泉道場の社員であることの誇りと責任感を持って欲しいからだ。ここにも社員育成をリーダー育成ととらえる山﨑さんの姿勢が見て取れる。

仲間づくりに関することで興味深いエピソードもあった。現在、温泉道場で働いている社員の中には、当初は取引先として付き合っていた人もいるのだとか。当時は、一緒に勉強会などをやっていた仲間だった。元々は、商工会や観光協会の職員だった方もいるそうで、温泉道場がある程度拡大して、やりたいことができるようになってきたタイミングで「もうそろそろいいでしょ?」と声をかけたそうだ。

山﨑さんは、普段はクールで物静かな外見だが、このときばかりは子どものような無邪気な笑顔を見せていたのが印象的だ。当時、一緒に仕事をしていた仲間がみんな社員になっているのは「不思議な感覚だよね」としみじみ語ってくれた。

また、温泉道場は、社長と一緒にアウトドアサウナに入るという変わった会社説明会も行っている。社員募集のキャッチコピーは、「集え、変わり者」。秀逸である。実際に変わり者ばかりが集まっているのかどうかはわからないが、現在、温泉道場の社員の過半数が、新卒と第二新卒で占められているそうだ。温泉道場が初めての会社勤めであるという社員も多い。

そのため、山﨑さんは、「仕事とは楽しいものである」ということを事あるごとに社員に伝えている。仕事は楽しいからこそ、モチベーションが上がるし、主体性も育まれ、創造性も発揮されるからだ。また、楽しんで仕事をするからこそ、そこから得られる成果も成長も大きくなる。

仕事の楽しさを伝えるために、山﨑さんはまず自らが実行者であることを常に心掛けているという。評論家はいらない。いろいろなことに積極的にチャレンジし、主体となって仕事を創ることこそが、会社と自らの成長につながるのである。

２０２０年には新たなチャレンジも開始した。埼玉県熊谷市を拠点にする独立プロ野球チーム「埼玉武蔵ヒートベアーズ」の運営である。温泉道場の子会社として株式会社埼玉武蔵ヒートベアーズを設立し、スポーツを通じた地域振興とともに、スポーツ・エンターテインメントの新しい形を模索し、これまでにない楽しみ方や体験の機会の提供することを目指している。

球団オーナーとなった山﨑さん自身も、監督や選手に直接インタビューしてYouTubeで配信するという試みを始めた。現状では、球団運営は外から見えづらく、ファンの方や地元の方が、球団の運営がどのように行われているのかよく分からないというのが課題だと思ったからだ。そこで、フロント陣も選手と一緒になって球団の魅力を伝えるということに貢献できないかと始めたものだという。


仕事をつくり出すことは、必然的に地域を活性化する。「地域を活性化したいという人はいるが、まずその前に自活できていない人が多い」と山﨑さんは語る。仕事をつくり、利益を上げれば、それだけで地域の経済は活性化するのだ。

利益を上げてきちんと税金を納めることもそうだし、利益が上がれば雇用も生まれる。地域を活性化するためには、自分で仕事をつくり、利益を上げることが何より肝要なことなのである。

温泉道場が考える経営者育成と、ときがわカンパニーが考えるミニ起業家の育成は、この点で非常によく似ている。地域に「しごと」をつくることが、地域に人を集め、経済を活性化する。そのような循環を回すことで、地域をしだいに豊かにしていくことができるのではないだろうか。

(12)「しごとをつくる」ということ

ここまで、ときがわ町を中心とした地域で「しごと」をつくっている１０人を取り上げてきた。１０人の共通点はなんだろうか。ざっと挙げてみると以下のようなことが挙げられる。

●自主性と協業

誰かにべったり依存しきることはなく、自分で考え、自分で決めて、自分で行動するのが基本となっている。自分で「しごと」をつくっているということだ。

だからといって誰とも協業しないということはない。むしろチャンスがあれば積極的に頼る。お互いが、強みと強みを活かしあうことを常に考えている。その方が自分の強みを発揮できるからだし、もたらされる成果もより大きく、広がりのあるものになっていくと分かっているからだ。

そのため、「他人の仕事を応援する」ことを日常的に行っているのが彼らの大きな特徴ではないかと思う。一つ一つは大企業ではなく、個人や小規模な組織が多いが、小さいからこそ連携しながら、すばやく、柔軟に、事を起こし、進めていくことができるのだ。

●地域での仕事を重視しているが、ときがわ町に固執しているわけではない

ときがわ町に限定してしまうとお客さんが限られてしまうということもあるが、それだけではない。特定の地域以外の仕事をすることで、外の情報との接触が生まれ、地域内外の情報の出し入れが可能になることが大きい。

逆に、ときがわ町のみに限ってしまうと、非常に視野が狭くなることに加え、ときがわ町さえ良ければそれで良いという排他性が生じる。それでは町外の人からは「ときがわ町は元気」とは思われないだろうし、何より住民の望むところではない。むしろ、ときがわ町から周辺に元気を伝播していくことこそ彼らの望むところである。

●複数の肩書を持っている

必ずというわけではないが、複数の肩書、複業を有している人が大半である。これは複数の収入の柱があるということでもあり、地域の中に複数の役割を持っているということだ。

「百姓」という言葉もあるように、田舎であればあるほど、一人一人が完全に一つの専業のみで生きていることはなく、複数の業を持っていることが多い。自分では「これが専門」というものを持っていたとしても、地域の人が期待している役割は違うこともある。複数の肩書は、地域の人から期待される役割に応えている証でもある。特に、これは、地域の外から入ってきたヨソ者が、地元の人に信頼される一つの重要な鍵だろう。

こうしたことを踏まえつつ、地域で「しごとをつくる」ことの意味について改めて考えてみることにしたい。

仕事が何かということについては、たとえば、「ライフワーク、ライスワーク、ライクワーク」や「仕事、私事、志事、死事」などのように、さまざまな考え方がある。本書では、第１章で述べたように、経済的価値だけではなく、社会的価値が含まれるものとして「しごと」を捉えている。

この仕事に、「地域」という冠言葉をつけると、また違った仕事観が見えてくるのではないか。つまり、「地域にとってしごととは何か」ということである。

私は、「地域のしごと」には、以下の４つの意味があると考えている。

①私事としての「しごと」であること
②私たちの「しごと」であること
③お金を稼ぐ手段であること
④お金を使う場であること

順に説明していこう。まず、一つ目は、「私事としての仕事であること」だ。

地域で「しごと」をするということは、生活の場と仕事の場が非常に近しいため、地域の当事者の1人として仕事をするということである。地域における自分の「役割」とも言い換えられる。生活の場と仕事の場が非常に近いため、仕事への反応や影響は、ダイレクトに返ってくることになるし、おかしなことはできない。また、単に商売ということに限らず、自治会などの地域の一員としての役割を求められることもある。こうしたことも含めて、地域の当事者としての自覚や主体性が求められるということである。

一方で、先ほども述べたように、誰かに任せることで自分の強みも相手の人の強みも活かせそうなことであれば積極的に協業する。それが二つ目の「私たちの『しごと』であること」である。

個人や小規模で、自主性やスピード感があるからこそできる仕事のやり方だ。一人でやるよりも、地域にとって成果が大きく、広がりのあるものになる。仲間という連帯感が生まれやすく、また、新たな仲間を引きつける効果もある。

三つ目は、「お金を稼ぐ手段であること」である。これはそのままズバリで、生計を立てる手段としての仕事である。一般的に経済的価値という意味で使われる仕事だ。内容に関しては、地域の中で生まれた仕事かもしれないし、地域の外から頼まれた仕事ということもあるだろう。最近では、在宅でのリモートワークも広まりつつある。

そして、四つめは、「お金を使う場であること」である。この点については、あまり意識されていないかもしれないが、非常に重要なことだと私は思う。なぜなら、地域でお金を稼ぐことはできても、お金を使うような場所や産業が地域になかったら、その地域はただの出稼ぎの場でしかないからだ。住民は、地域の外でお金を使うしかなく、地域からお金がどんどん外に流れ出てしまう。いわゆる「穴あきバケツ」というやつだ。地域が発展するには、お金を稼ぐ場とお金を使う場の両方が必要なのである。

お金を稼ぐ場とお金を使う場があって、初めて地域に経済の循環が生まれる。その循環が繰り返されるにしたがって、地域がだんだん豊かになる。理想は、1人1人が生産者であり、消費者になることだ。時には生産者として商品やサービスを提供し、またある時には消費者として他の人の商品やサービスを購入する。お互いがお互いを買い支える関係である。

現代社会に生きる私たちは、生産者であることを忘れがちで、その結果として、生産者と消費者が分断されてしまっていると感じる。典型的なのは食だ。米や野菜などを生産する農業者は少数派になり、多くの人はお金で食べ物を購入すれば済む。もともと貨幣の目的は、物と物との交換を円滑にすることにあったわけだが、金銭による取引は、「お互い様」という意識を薄め、お金を払うお客様が偉いという論理を生んでしまっているように思える。

だが、極端な例として、地域に住む人すべてが個人事業主として、何らかの商品やサービスを提供していたとしたらどうだろうか。あるときは生産者として商品やサービスを提供し、あるときは消費者として商品やサービスを買う。すると、地域全体でいえば、「物を買う」

という一方的な取引ではなく、本来の物と物を交換する関係が成立しているように見えないだろうか。生産者も消費者もお互い様に、「どうぞどうぞ」と助け合う経済だ。

あたかも贈与経済のようであるが、そうではない。個人対個人でお互いに価値を交換するだけでなく、他の人や後に続く人にも「どうぞ」をつなげる、恩贈りのような循環構造が見えてくる。そうした循環によって成り立つ経済だ。これを贈与経済ならぬ「どうぞ経済」と呼びたい。

大きな企業がなく、個人での自営の多いときがわ町は、多くの人が生産者であり、同時に消費者でもある。そのため、こうした「どうぞ経済」が自然と形成されやすいのではないか。お互い様だから、足を引っ張るのではなく、お互いが好き勝手にやるのを見守り、ときには共に助け合う。そうしたゆるやかな関係が生まれてくるのである。

第4章
まちの未来は人がつくる

1　未来に続く人のつながり

第3章では、ときがわ町で「しごとをつくる人」たちを取り上げ、「地域のしごと」が持つ意味を考えてみた。

そこでは、「どうぞどうぞ精神」で、生産者と消費者が、お互いの立場を行き来しながら、ゆるやかにつながっている「どうぞ経済」と呼ぶべき経済圏のようなものが形成されていることを見てきた。

第4章では、そうしたことを踏まえつつ、これからのときがわ町の展望を描いていくこととしたい。焦点を当てるのは、新たにときがわ町で生まれた人と人とのつながりである。

2020年4月に、新型コロナウイルスの感染拡大に伴う緊急事態宣言が発令された。このことにより、人々の外出は自粛ムードに入り、それまでブームのようになっていた地方移住や関係人口関連の動きも一時休止状態に陥るものと思われた。

だが、実際に起こったことは、新たな人とのつながりを求める動きであった。それはときがわ町にとって、新たな希望の光となっている。

（1）チーム企《くわだてる》

チーム企は、栗原直道さんを中心に、比企郡に拠点を置いて活躍するクリエイティブ・コミュニティである。２０１８年にスタートし、現在は5人のメンバーから構成されている。

チーム企は新型コロナウイルスを機に生まれたものではないが、Zoomをはじめとするオンライン会議ツールの活用機会が広がるにつれて、その活動の幅を広げている。それとともに業務量が増大したこともあり、この後に紹介するチーム山王の活動にもつながった。

それぞれのメンバーは本業とは別にチーム企としての仕事を持っている。本業では、写真や動画の撮影・編集、Webデザインなどのクリエイティブな分野で活躍している第一線の人材ばかりである。今回のように、都内での本業が機能停止状態に陥った状況を補完するように、チーム企での地域の「しごと」が機能した点が興味深い。このようなチームが、地域にどのような影響を与えているのだろうか。

チーム企は、会社などのかっちりした組織ではなく、地域にいる高いスキルを持った人材を地域のリソースとして活かし、地域に「しごと」をつくり出しているゆるやかな個人の集まりだ。キャッチコピーは「地域で楽しいことを企てる」。「企」の名前は、比企郡の「企」であり、企画力の「企」でもある。

メンバーの強みを活かした企画力で、スチール（写真）やムービーの撮影をはじめ、グラフィック・Webデザイン、イラスト制作、セミナーなどを手掛ける。自主企画もあれば、都内や地域の企業などからの発注を請け負うこともある。

地域での「しごと」という意味でいうと、最近では行政関係の観光や教育といった仕事にも積極的に関わっている。地域で「しごと」をつくり、積極的に情報発信することを通じて、それを見た子どもたちが、「地元で仕事ができるんだ」と思えるような地域にしていくことが一つの目標だ。

リーダーである栗原さんのチーム企への関わり方を見て感じるのは、とにかく関わった人たちがワクワクを感じられるような「しごと」をつくることを考えているということだ。「しごと」づくりを通じて彼自身もワクワクすることができ、チーム企のメンバーも、関わる人たちもワクワクすることができる。そういう「良い状態」をつくりたいと、栗原さんは語る。

若干余談になるが、最近、よく栗原さんと話していることがある。それは「ときがわ社中」という構想だ。ときがわ町に住んでいる人や住んでいなくともときがわ町を好きで関わっている個人がゆるくつながり、行政や企業から請け負った仕事を、メンバー一人ひとりの強みを活かして遂行していく。いわば、ローカル版のスキルシェアリングの仕組みである。

いわゆるクラウド系のアウトソーシングと違うのは、ときがわ町に住んでいたり、日ごろときがわ町に通ってきたりする人たちばかりなので、顔の見える関係ができるということだ。

このときがわ社中については、後ほど改めて取り上げることにしたい。

チーム企のような、ゆるやかなに個人がつながっているチームが地域に複数生まれたら、きっとその地域ではいろいろな「しごと」が生まれるだろう。個人が属するのは、必ずしも一つのチームとは限らず、複数のチームに加わることもあるかもしれない。

そうなると、地域に複数の自分の居場所ができることになる。地域に複数の役割ができるといってもいい。こうした地域での自分の居場所や役割を感じられることが、地域に対する自分の帰属感や貢献感につながっていく。また、これらは地域への肯定感ともなり、ひいては自己肯定感・自己効力感とも強く結びつくことになるだろう。

このような個人と地域との関係、結びつきがあることは、その人が仮に何らかの理由で地域の外に出たとしても、また地域に戻りたいときに戻ることができる安心感につながるものだ。

特に、ときがわ町のような高校、大学のない地域では、中学校を卒業したら町外に出るということがほぼ必至である。町内に住みながら通うとしても、町外で過ごす時間が必然的に多くなる。

若いうちは都会の利便性や刺激性に魅力を感じても、ライフステージに応じて田舎に魅力を感じることもあるかもしれない。そのとき、地元が選択肢として含まれるかどうかは、地域との結びつき、つまり仲間とのつながりを背景とする地域への肯定感や安心感があるかどうかによる。チーム企のような仲間が集うコミュニティがあることは、こうした地域の居場所や役割として、安心感の拠り所になるのではないだろうか。

(2) ときがわ若者会議

2020年4月の緊急事態宣言に伴い、特定の公共施設やスーパーなどの日用品店を除き、多くの施設や店が休業状態になった。小中学校、高校、大学も休校となり、企業も在宅でのリモートワークが推奨されるようになった。これによって人の移動が激減した。ときがわ町も当然ながら例外ではない。人と人とが直接会う機会も大幅に減った。そんな沈んだ自粛ムードの中で、一筋の光のように誕生したのが「ときがわ若者会議」である。

ときがわ若者会議(以下、「若者会議」)とは、ときがわ町に住む青木江梨子さんやときがわ町出身の栗原直道さん、清水昭洋さんの3人が、Zoomを使ってオンラインで話し合ったところから生まれてきた企画だ。

3人は、緊急事態宣言下で外出が規制されているからこそ、人と人とのつながりを保つにはどうしたらよいか、新たな人とつながるにはどうしたらよいかについて話し合っていた。沈みがちな町の雰囲気を明るくしたいというのが共通の思いであったという。

そこで他地域で行われている若者会議を参考にして、若者会議を開催することにしたの

ときがわ若者会議

だ。対象は、40歳未満の若者で、ときがわ町在住またはときがわ町に縁のある人という緩い条件とした。目標参加者数は100人。単純に、100人の若者が集まったら盛り上がるだろうと考えたからだ。

第1回若者会議が開催されたのは、それから2週間後のことだ。第1回には子どもを含めて56名の参加があった（もちろん私も参加した）。残念ながら目標の100人には届かなかったものの、この状況下でも新たな人とのつながりが多く生まれたのは収穫だった。

おそらくは新型コロナウイルスがなかったら、つながることはなかったのではないかという人ともつながることができたと感想を語った参加者もいた。外出が規制されていても、インターネットを活用することで、新たな人とのつながりができたり、人を集められたりできると分かったことは、新たな発見であり、メンバーの自信になった。ときがわ町のことを考えている人がこんなにいる、ときがわ町にはこんなにおもしろい人がいると分かったことも安心感につながった。

さらに嬉しい出来事もあった。当日は、集まった参加者で、「こんなことをやりたい」、「こんなことができないか」ということを話し合ったのだが、その中で出たアイデアが実現に結びついたのだ。

それが「オンライン給食」というプロジェクトである。小学校に行けず、友達と話したり、一緒に給食を食べたりできない子どもたちとその親を対象に、地元産の野菜をふんだんに使ったお弁当を宅配し、Zoomを使ってみんなで顔を合わせながらお弁当を食べるというものだ。

結果は大成功。2回目も実施され、1回目よりも参加者が増えたり、新聞に掲載されたりして話題となった。若者会議でも、有志で動画やWebサイトを作成してイベントをバックアップした。

3回目には、町内の飲食店とのコラボも実現した。手づくりパンとハム・ソーセージで有名な「こぶたのしっぽ」の協力を得て、食材を参加者の自宅に配送し、Zoomを使って一緒にサンドイッチをつくって食べるという企画を実施した。また、店内でのパンやソーセージづくりの様子を撮影し、編集して動画を作成したり、クイズ大会をしたりと子どもたち自身が考案した企画も好評だった。

2020年5月25日に緊急事態宣言が解除され、学校も始まったため次回の開催は未定だが、オンライン給食の主催者は、子どもたちの学びの場として今後も企画を発展させたいと考えているそうだ。

日常の生活が戻り、若者会議が前面に出て何かを仕掛けていくというような状況にはなくなった。若者会議は、強制的に人を集めて活動への参加を義務づけるような堅苦しさはなく、基本はゆるい個人の集まりだ。それゆえ、関わる者としては今後の見通しがないということにややもどかしさを感じなくもない。

だが、同じような事態があったときには、「若者会議でのつながりがある」と思えることは、精神的に大きな安心になっているように思う。「自分と同年代の若者がときがわ町にいる」という安心感である。（２０２１年1月現在、再び緊急事態宣言が出されている）

普段は何かが起こらなかったとしても、ちょっとした困りごとややりたいことができた際に、「若者会議で会ったあの人に相談してみよう」とか、「こういう人がいたな」と思い出すこともあるだろう。そうした心の拠り所のようなものが生まれたのではないかと思っている。

余談だが、今年３９歳の私は、若者会議の対象年齢ギリギリであった。参加者の中では最長老の部類である。正直、やや気がひけた部分もあったが、このような場に参加できたのは至極幸運だった。ずうずうしくも、若者会議という場は、ときがわ町での私の居場所の一つになったと考えている。

（3）チーム山王《さんのう》

次に取り上げるのは、チーム山王である。チーム山王とは、チーム企の一員である小林カズマさんが立ち上げた大学生4人のチームである。イベントやセミナー、研修などにおけるZoomなどのWeb会議ツールの技術サポートを中心としている。

もともとこれらの事業は、チーム企が担っていたものだった。新型コロナウイルスの影響で、関根さんや関根さんの講師仲間が行っていたリアルでの集合型研修が実施できなくなったことに伴い、Zoomなどでのオンライン研修の需要が高まった。それとともに、オンラインツールの技術面でのサポートが、チーム企だけでは賄いきれなくなったのである。

そこでカズマさんが声をかけたのが、同じ大学に通う3人の学生たちだ。レオさんとユウキさんは4年生、カナさんは2年生である。

レオさんは、オープンキャンパススタッフという、大学のオープンキャンパスを担う学生ボランティア組織に所属の代表を務めている。学生スタッフ80人のトップ、いわば経営者のようなものだ。組織づくりに興味があるといい、経営者である関根さんたちと一緒に仕事ができることは、彼にとっても大きなチャンスだとカズマさんは考えたという。

ユウキさんは、カズマさんのライバルだ。何のライバルかというと、動画制作である。カズマさん自身も、自分独自の撮影技法を極めたいと、チーム企のメンバーから学んだり、企業から動画制作を請け負ったりしている。同様にユウキさんも企業から発注を受けて動画制作をしているので、負けたくない身近な存在というわけだ。

カナさんは、チーム内では唯一の女性で2年生だが、カズマさんと同じゼミに所属している。通常はゼミに参加するのは3年生からなのに、1年生のときからゼミに自主的に参加していたという。その積極性と行動力をカズマさんは高く評価していた。

実は、おもしろいことに、チーム山王のメンバーは、カナさんが初めてときがわ町を訪れた2020年11月までは、カズマさん以外の誰もときがわ町に来たことがなかった。関根さんと顔を合わせるのはZoom上だけである。それなのに、ビジネスパートナーの関根さんやカズマさんを通じて、ときがわカンパニー主催の「本屋ときがわ町」や「オンライン自習室」のイベントに参加しているのだ。

カズマさんは埼玉県内に住んでいるが、ほかの3人はそれぞれ神奈川県や静岡県の在住だ。おそらく、新型コロナウイルスがなければ、ときがわ町の存在自体を知らなかっただろうし、今後も知ることはなかったのではあるまいか。

それがつながった要因はまさに「人」と「しごと」である。新型コロナウイルスでアルバイトもできない状況で、関根さんとカズマさんという「人」を通じて生まれた「しごと」が、彼らをときがわ町に結びつけたのだ。

彼らの事例は、どこに住んでいてもインターネットを使えば同じ条件で地域に人が関われるということに気づかせてくれた。インターネットが距離と時間という制約を取り払った典型的な事例である。

これも一種の関係人口といえる。彼らがやがて社会人になっても、ときがわ町と関わった体験は彼らの中に残り続けるだろう。この先、何かの機会に実際に訪れることもあるかもしれない。そのようなとき、そこに知っている人がいるというのは非常に大きい。安心してその地域を訪れることができるからだ。

また、このような人が増えていくと、ときがわ町のファンが生まれたり、なかにはときがわ町に移住したりする人も出てくるかもしれない。そういう可能性を秘めているのが、人のつながりであり、関係人口なのである。

加えて、ときがわ町は外の人に対して開かれた寛容性がある。この寛容性に、若者は引き付けられるのだ。今は人口が減少してはいるが、こうした寛容性は、この先もときがわ町に人を引き寄せ続けるはずだ。

④ ロドリガス 晴海《はるみ》

本屋ときがわ町
カリフォルニア州サンホゼ支店

新型コロナウイルス禍でのつながりでいうと、ロドリガス晴海さんとの出会いもおもしろいので取り上げておきたい。人生の先輩であり、グローバル経験豊かな彼女との出会いは、新型コロナウイルスを機に生まれた新たなつながりの象徴といえるものとなった。

晴海さんは、10代の頃にアメリカに留学し、それから40年以上もアメリカに住んでいる。現在は、スタートアップ企業の集積地として有名なシリコンバレーの中心、カリフォルニア州サンホゼに住んでいる。

彼女も実は、ときがわ町には来たことがない。そんな彼女がなぜときがわ町とつながったかといえば、本屋ときがわ町がきっかけであった。

第1章で書いたように、新型コロナウイルスの拡大を受けて、緊急事態宣言が出されたことに伴い、本屋ときがわ町もリアル開催は休止し、4月と5月はZoomを使ってオンラインで開催することになった。そのことを知って、出店者として参加したのが晴海さんだった。関根さんとは古くからの知り合いで、以前に一度、関根さんから外部講師をお願いされたことがあった。関根さんと出会うまでときがわ町のことは知らなかったという。

関根さんが発行していたメールマガジンで、ときがわカンパニーの取組を知り、新型コロナウイルスによる閉鎖的な状況下で何か一緒にできることはないかと、関根さんにメールで連絡を取ったのだった。

新型コロナウイルスを巡るアメリカでの規制の状況は、日本の外出自粛よりも厳しいものだったらしい。毎月アメリカ国内や世界各地に出張していた生活から一転して、自宅からほとんど出られず、近くに住む娘家族にも会うこともままならない状況が続き、閉ざされた気持ちになっていたそうだ。

そんなこともあって、アメリカでの自分のユニークな経験を活かして何か手伝えることはないかと申し出たのだ。緊急事態宣言直前の、２０２０年3月末のことである。

その申し出に対して関根さんがとった行動は、もちろん「その場でしごとをつくる」ことである。3月に申し出を受けて、さっそく２０２０年4月の本屋ときがわ町でのZoomによるオンラインセッションを企画したのだ。

結果的には、緊急事態宣言もあり、本屋ときがわ町全体がオンライン開催となったのだが、オンライン開催への切り替えがスムーズに進んだのも、事前に晴海さんとのこうしたやり取りがあったためであった。

それまで、本屋ときがわ町は、限られた広がりのローカルの取り組みという印象が強かった。だが、この出来事を通じて逆に世界とつながり、「グローバル」に広がったのである。しかも、それが緊急事態宣言による外出自粛下に起こったというのは非常に新鮮な体験だった。これもインターネットの可能性を肌で実感することとなった象徴的な出来事である。

ちなみにその後、５月以降の本屋ときがわ町でも、晴海さんはオンライン出店のレギュラーとして定着しており、自ら「本屋ときがわ町カリフォルニア州サンホゼ支店」を名乗ってくれている。毎回のセッションでの熱の入れようも大変なものだ。４０年以上にわたるアメリカでの経験に基づいて、現地のリアルな情報を届けてくれ、本屋ときがわ町の新鮮なスパイスとなっている。

晴海さんは、これまで展示会プロデューサーとして、日本企業が世界の展示会に出展する際の支援を手掛けてきた。具体的には現場でのアテンドやプレゼンテーション、コミュニケーションの指導、ポスターやカタログの英語表現の編集や指導などだ。

こうした経験やアメリカでの暮らしをもとにした彼女のセッションは非常に興味深く、本屋ときがわ町にグローバルな視点を付け加えてくれている。「人」と「しごと」を通じたときがわ町のつながりは、もはや国内にとどまらず、グローバルに展開しているのだ。

「JR 八高線 明覚駅」

文：青（比企起業塾４期生）

分刻みで電車が来る都会と対照的に、ときがわ町での移動はもっぱら車がメインだが、電車も通っている。旧都幾村と旧玉川村の境で、現ときがわ町の中心地にある明覚駅から、八王子と高崎をつなぐ JR 八高線へ乗車できる。

現在の駅舎は、1988 年の火災をうけ、1989 年に建て替えられたものだ。赤い屋根のログハウスのような見た目で、過去にはグッドデザイン賞を受賞、関東の駅百選にも選ばれた。2013 年に無人化し、駅窓口は閉ざされているものの、建物内部には明覚駅の歴史の掲示、見上げると１本の柱を中心に高く広がる天井への空間が、電車を待つ急《せ》いた気持ちを緩やかな時間へと変えていく。まるで昭和時代にタイムスリップしたかのようだ。

改札口を抜けるとすぐに小川町・高崎方面ホームがあり、高麗川・八王子方面へのホームへ繋ぐ歩道橋に上がると、ときがわ町を囲うように広がる見渡す限りの山々と町並みが隣合っている様子が一望できる。

明覚駅には電車ではなく、ディーゼル車が走る。高麗川～高崎間は電化されていないためだ。車内はボックス席が並び、横座りの席は少ない。特に越生～明覚間は山の間を駆け抜けていくような疾走感があり、何度乗っても小旅行のような気分を味わえる。

運転免許を取らないまま引っ越し、半年以上経った今もなお免許を持たない私にとって、明覚駅はなくてはならない存在である。

２３４ページへ続く

⑤ 小林豊

ときがわ町出身、スイス在住

海外とのつながりということでいえば、小林豊さんの存在も忘れてはならない。小林豊さんは、ときがわ町出身の３３歳。スイスの５つ星ホテルの日本食レストランでシェフを務めている人物だ。ちなみに、栗原さんとは同級生にあたる。

非常に郷土愛の強い方で、毎年のように必ず地元のときがわ町に帰省している。その際には、ときがわカンパニーでのトークイベントも開催したこともある。

だが、今年は新型コロナウイルスの影響で帰省することができなかった。４月の本屋ときがわ町をオンライン開催することに決まったことから、海外つながりということで小林さんにも参加いただくこととなったのである。ローカルな取り組みであった本屋ときがわ町が、新型コロナウイルスを機に、アメリカだけでなくスイスともつながってしまったのである。

ちなみに、これを機にロドリガス晴海さんと豊さんの交流は続いているそうで、小林さんがスイスを旅しながら撮りためている写真と人生経験をもとに、晴海さんが取りまとめて本を作ろうとしているらしい。

小林さんがこれまでときがわ町でのトークセッションで語ってきた内容は、ときがわ町の若者や子どもたちにとって非常に示唆に富むものとなっているので、ぜひここでご紹介したい。

高校時代は勉強にもやらされ感があって、将来の夢が見いだせなかったという小林さん。やりたいことを見出すためには、もっと遊んだほうが良いと考え、大学時代は海外旅行によく出かけた。

料理の道を志したのは大学生の頃だ。両親が共働きだったため、よく兄弟で料理をしていて、料理が好きだったこともあり、和食料理屋でアルバイトを始めた。そのうち、「料理で世界にでたい。和食を広げたい」と思うようになったという。

大学卒業後に、和食を世界に広めているシェフとの出会いもあり、アメリカに渡ったが間もなく帰国。和食の根幹を学ぶ必要性を強く感じたからだった。ときがわ町の隣の小川町にある料亭で一から修業して和食の基礎の基礎を学び、ホテルや都内の料亭での仕事を経て、今度はスイスに渡った。

スイスを選んだのは、求人の条件にあった料理経験年数と、山に囲まれたスイスの雰囲気が、自分の好きなときがわ町に似ていたからだ。２０１６年の春には、レストランからの支援もあり、世界のNo.１を決める大会にスイス代表として出場も果たしている。

和食が、ユネスコ無形文化遺産に登録されたこともあり、ヨーロッパでは日本食がブームとなっている。スイスは海がなく、生魚を食べるという文化がなかったが、少しずつ日本の食文化が広がってきていると感じているという。

ただ、魚の入手は困難で、なかなか良い素材は手に入れにくい。日本に帰ってくると、魚に限らず食材への思い入れや保存方法などが素晴らしく、改めて日本の良さを感じているそうだ。

夢は和食を世界に広めていくことだ。そのために、洋食の勉強に力を入れている。洋食を知ることで、外国に根付いた食を学び、それに合わせた和食を作っていきたい。そのうえで、より本格的な和の味を世界に知ってもらいたいと考えている。

そして、日本を海外の人に知ってもらいたい。世界と日本の懸け橋となるような料理人を目指して日々チャレンジを続けている。また、調理師学校を開いて次世代に伝えることも将来の夢だそうだ。

以下は、ときがわ町の若者に向けた小林さんからのメッセージだ。


ときがわ町は、四季を堪能できる素晴らしい場所です。

例えば、春には「この葉っぱを懐石料理で使おう」という季節感を得ることができました。東京で仕事をしていたときは業者から買うので、自らの季節感は磨きにくいと感じました。

ときがわ町は蕎麦も有名ですし、豆腐もケタ違いです。

「ときがわ町って、凄いんだよ!もっとアピールできるんだよ!」ということを、ときがわ町の若い人たちには知ってほしいです。自分はそれを、外に出て実感しました。

まずは、ちょっとときがわ町の外に出てほしいです。そうすることで、自分がどういう位置にいるかが見えてくると思います。

特に海外に出れば、いかに日本がクオリティーや安全面で優れているか実感できると思います。色々なことにチャレンジしてほしいです。自分もチャレンジを続けます。

世界で活躍しているときがわ町出身の若者がいることは、町に住む子どもたちの大きな希望となるに違いない。

ときがわ町役場

⑥ 伊《い》得《え》浩

人と人をつなぐ、人と町の情報をつなぐハブに

ここまで、「しごとをつくる人」や人と人とのつながりに焦点を当ててきた。最後に取り上げる「人」は、ときがわ町役場という行政の立場から彼らの活動を見てきた伊得浩さんだ。

伊得さんは旧都幾川村出身で、平成８年４月に旧都幾川村役場に入庁した。入庁後の配属先である住民福祉課を経た後は、総務課での広報担当や地域振興室、産業観光課、観光推進室と、まさに地域で生まれた活動や地域で「しごとをつくる人」たちと間近に接し、彼らに寄り添いながら

情報をつないできた存在といえる。彼の目に、今のときがわ町の変化はどのように映っているのだろうか。

合併前と合併後を見てきて感じるときがわ町の変化の一例として、ときがわ町が誕生した

頃から、都会とそう変わらないようなオシャレな飲食店が目立つようになったと伊得さんは語る。それとともに、アートイベントなどで見られるような、文化的素養の高い人たちが地域に増えているという。こうした町の姿は、ときがわ町を初めて訪れる人が口にする感想と共通している。

町外から移住して活動している人で、伊得さんの印象に強く残っている人物は2人いる。一人は、第3章でご紹介した小堀利郎さんだ。小堀さんが、ときがわ町で地ビールを作るために、休眠施設となっていた大野地区の旧保育園の建物を借りたいとやってきたのは、伊得さんが地域振興室に勤務していた頃のことだ。隣には西澤明彦さんを伴っていた。

実は、施設の借用について小堀さんから相談を受けた時、休眠施設とはいえ、人となりが分からない中で貸し出すことに不安があったという。だが、西澤さんからの紹介があったことで、安心して事業支援のために内部の調整を進めることができた。町外から来た人でも、地元の人の協力を得ることで、役場としてもスムーズに応援に回ることができることに気づいた出来事だった。

強く印象に残っているもう一人は、本書の共著者である関根雅泰さんだ。ときがわカンパニーでは、当時、起業家の育成とともに林業振興にも力を入れていたことから、同社に対して地域産木材を効果的に利用するためのパンフレット「木育て、ときがわ」の制作を発注したのだ。このことによって、その後も行政とときがわカンパニーとのさまざまな連携も生まれ、町外から積極的に移住を促進する機運が生まれるきっかけになった。

「人と人をつなぐ、人と町の情報をつなぐハブとして機能できれば」と語る伊得さんは、まさに外から入ってきた人たちと地元の人たちのパイプ役だ。個人的には、移住者の相談役のような存在だと感じている。実際、短いインタビューの合間にも、地元の業者の方から電話があったり、移住して事業を営んでいる方がやってきて、伊得さんに相談したりする場面も見られたほどである。相談に対する対応も的確で迅速だ。役場に伊得さんのような方がいるというのは、移住者にとって非常に心強い。

親身になって相談に乗ってくれる伊得さんの姿勢は頼りがいがあるが、実は過去の一つの失敗が大きく影響している。

それはときがわ町が初めて地域おこし協力隊を受け入れたときのことだ。本来、地域おこし協力隊は、３年の任期を終えた後も地域への定住を促進することを目的としている制度である。受け入れを担当した伊得さんも、いかに協力隊員の方に定住してもらうかに気を配っていたが、１年数カ月という任期の途中で退任する結果となってしまったのだ。

「自己都合」が主な理由だったものの、伊得さんは少なからずショックを受けた。同時に、定住を望む役場の姿勢と、定住するためには継続的に生計を立てる仕事を必要とする協力隊員との間にギャップがあることを痛感したのである。協力隊員が意図した計画がうまくいかなかったことや活動する中での方針の転換があったにしても、ときがわ町での仕事や生活ということに関しては、もっと寄り添って一緒に考えられたかもしれないと反省したのだそうだ。

伊得さんが目標とするのは、安心・安全で、健康で元気に、持続的な生活ができる町の実現だ。それには地元の人も移住者もなく、一緒に取り組んでいく姿勢が求められる。

また、行政に集まるさまざまな情報は、地域で何かをやろうとする人たちにとっては非常に有用なものだ。「役場というと敷居が高いというイメージがある。近寄りがたいと思われるのは残念なこと。個人情報の扱いには十分配慮しながら、必要な情報を提供し、人と情報をつなぐことを心掛けるべき」と力強く語ってくれた。

ちなみに伊得さん自身も、2つの新たな取組を構想中だ。一つはハイキング愛好者や林業体験希望者を対象とした「ハイキングコース開設ワークショップ」だ。現在、ハイキングコースが設定されている山以外でも、人が歩けるようになれば、失われつつある山への関心を再び持つきっかけになるはず。それを、町が整備するのではなく、ハイカー自身で道を切り開いていこうというものだ。そうすることで山に人が入り、管理が進むようになる。

面積の7割が森林でありながら、町内で暮らす人たちと森が断絶している現状に対して、ハイカー、所有者、地域、行政にとっての「四方よし」の企画である。

実は私も仲間と同じような話をしていたこともあり、伊得さんからこの話を聞いたときには驚いた。来年度にでもすぐに実現してしまいそうな勢いである。

もう一つは、公有施設を活用した「地域インターン」だ。現在、観光を目的とする公有施設のうち、指定管理者による運営をしているものは9か所ある。もともとこれらの施設は、地域に雇用を生み出すために開設されたという経緯があり、多くは各地区の住民に運営が委ねられている。しかし、少子高齢化による担い手の減少により、運営にかかる負担が大きくなっているのが課題だ。

そこで、近隣の大学などと連携して中長期のインターンシップの場として提供し、一定期間、学生に施設の運営やイベント企画などに加わってもらうというアイデアである。管理・運営に携わる指定管理者にとって、若い年代の学生と高齢者が中心の地域の担い手との交流は、施設の活性化につながり、新たな層の利用者を呼び込むことも期待される魅力的な構想である。

もちろん、こうした取組は行政だけでは実施が困難だ。「指定管理者とともに観光協会といった関係団体や移住者、町内で事業を営んでいる人たちとも連携しながら進めたい」と伊得さんは語る。地域で活躍する人が増えれば産業が循環し、町の中でも稼ぐことができるようになる。移住者が町の中で新たな稼ぎを生み出し、地域づきあいをしながら新たな町の担い手となる。そんな地域になっていくのが伊得さんの理想だ。

移住者や町内で事業を営む人たちが伊得さんを頼りにしているように、伊得さんも彼らを

「頼もしい存在」と評していたのが印象的だ。新しく移住してきた人たちも、閉鎖的ではなく地域活動にも加わってくれている。今後移住する人には、このような既に移住して町内で活躍している人たちをお手本にするといいのでは、と語ってくれた。

また、地元の人も、町外からの人を快く受け入れてくれる。だからこそ、人との交流が自然に生まれ、移住者も「何が何でも移住したい！」と力んで移住してくるのではなく、自然体で移り住んで来るように感じられるそうだ。その理由として、伊得さんの口から出てきた言葉は、「都会とのほどよい距離感」。まさにトカイナカなときがわ町の特性が凝縮された、伊得さんへのインタビューになった。

2　ときがわ町の未来

(1)「しごとをつくる人」がつくる町の未来

ここでは、「しごとをつくる人」たちが、これからときがわ町にどんな未来をもたらすのかといった展望を述べてみたい。

本書でご紹介した「しごとをつくる人」の多くは個人事業主や1人経営者であった。1人であるということは、個性や強みを発揮しやすいということだ。また、１人で何でもできるわけではない。だから自然に、自分ができないことは他の誰かにお願いすればいいという発想になる。

お願いすることのできる「誰か」も、タイプや強みが多種多様だから、発注先に困ることはあまりない。小さな町でも、町の中で経済を循環することのできる力が、ときがわ町にはあると私は感じている。

また、町長の渡邉さんが話していたように、ときがわ町にはいわゆる大企業は存在しない。そして、地域で生活したり、仕事をしたりする人たち同士の目線が近い。だから、「お互いさま」の精神が働きやすく、誰かが一方的に誰かに依存しきっている状態が生まれにくいのだ。

みんなお互いさまだから、困ったら助けるし、何かを新しく始めたいといえば「どうぞどうぞ」と寛容になる。そのようにして新しい動きがどんどん起こっていくから、ときがわ町は「おもしろい」のだ。

おもしろいから、またさらに新しいことが連鎖していく。起こっていることは小規模なものが多いから、確かにインパクトは小さいかもしれない。だが、何かが起こる数としては非常に多い。小さくても無数に、連続して起こる変化を見て、地域外の人が「ときがわ町は元気だ」と感じるのではないだろうか。

また、小規模なものが多いからインパクトは小さいと述べたが、正確には正しくない。人口約1万人という小さな町だからこそ、小さなインパクトでも、都市部に比べて生まれてくる変化が相対的に大きいのだ。埋もれないということだ。埋もれないということは、目立つということで、それによって少なからず関わった人たちの中に自尊心や自己効力感といったものが芽生えてくることは想像に難くない。

このように小さな成功を積み重ねることは成長する上で重要な要素で、比企起業塾でも重視しているポイントだ。いろいろなことを考え合わせると、ときがわ町では、小さな成功を積み上げやすいといえる。

もちろん、時には成功ばかりでなく失敗することもある。だが、寛容さは失敗も受け流してくれる。失敗した人の揚げ足を取ったり、圧し潰したりはしない。倒れたときにも、「どうぞどうぞ」の精神で手を差し伸べ、また何か始める際にも「どうぞどうぞ」だ。こうした「どうぞ」がときがわ町の根底に流れている。

このことは、町の未来を考える上で、非常に明るい材料である。寛容性のある地域は、外からも新たな人を引き寄せる。それも物見遊山ではなく、地域で何かをしたいと強い思いを持つ人たちだ。そういう新たに来る人たちを、「どうぞ」と歓迎してくれる雰囲気が今のときがわ町にはある。現に、ときがわ町で活動している人たちはそうやって自らも受け入れられてきたし、助け合ってきたからである。さらに、彼らの活動をバックアップし、動きやすいような場を整えてくれる町役場の黒子としての役割も見逃せない。

もう一つ、本書で取り上げた「しごとをつくる人」たちに共通するのは、「外の視点」を持っていることである。町外からの移住者はもとより、地元で生まれ育った生粋のときがわ人であってもである。

田舎というと、自然豊かでのんびりした牧歌的な印象の反面、どこか排他的というイメージがある。それが理由で移住者が入りづらい、もしくは入っても地域になじめないうちに外に出て行ってしまうという例は後を絶たない。しかし、ときがわ町では、多くの人が「外に開かれている」と感じている。それは何によるものなのだろうか。

その大きな理由は、第２章でも指摘したように、学校が中学校までしかないという事情があるのではないかと私は考えている。日本の高校進学率は現在９７％を超えており、中学を卒業した子どもたちのほとんどが高校に進学する。中学校までしかないときがわ町では、高校に進学するとなると、好む好まないにかかわらず必然的に「外に出る」ことになるのだ。

すると、町外の高校に通うことで、子どもたちは外の視点を身につけていく。さらに大学に進めば、外の視点はより広がるだろう。そのまま就職することもある。というより、そのまま町外で就職することの方が多いのではないか。町外に住むこともあるだろうし、町内に住んだまま町外に働きに出ることもあるだろうが、いずれにしても、外の視点を身につけるということについては同じである。

そして、何らかの事情で、その人たちがときがわ町に戻ってくるとする。渡邉さんがそうだったように、家業を継ぐためであるかもしれない。自然豊かな場所で子どもを育てたいという理由かもしれない。そうした戻ってきた人たちは、外の視点を持って町に帰ってくるのだ。

一方で受け入れ側も、外に出た子どもたちが帰って来られるようにするためには、意識的に「外に開いて」外からの人を受け入れる姿勢が必要である。閉じてしまっては、ヨソ者どころか、自分たちの町で生まれた子どもさえ戻ってこられなくなってしまうからだ。そのことが、ときがわ町出身でないヨソ者を受け入れる雰囲気をつくることにもつながっているのではないだろうか。

このようにして、ときがわ町は自然と外の視点を受け入れてきた。そのことが、外に開かれている町の雰囲気をつくり、移住者や関係人口などの多様な関わりを受け入れることにつながってきたのである。

しかも、進学率や町外での就職率が上がれば上がるほど、外の視点を持っている住民が増えることを意味する。下の年代になるほど、そうなっていくのは間違いないだろう。であれば、ときがわ町は今後も外に開かれ続けていくはずである。これがときがわ町の寛容性を支える基盤になっているのではないかと思うのである。

（2）「どうぞの経済」から「どうぞの生態系」へ

本書のメインテーマは、「なぜときがわ町に人、特に若者が引き付けられるのか」という問いを探ることにあった。その答えは、「人」と「しごと」にあったことをこれまで示してきた。「しごとをつくる人」たちが、この町で「しごと」をつくる、役割をつくる。すると、それに引き付けられた新たな人たちが集まり、また「しごと」をつくり始める。そこで重要なのは、町の人たちが持つ寛容性だ。ときがわ町でいえば「どうぞどうぞ精神」である。

高校、大学のないときがわ町では、子どもたちは中学校を卒業すると必ず町の外に出なければならない。町内に住んでいたとしても、生活の少なくとも半分かそれ以上を町の外の世界で過ごすことになる。東京まで約９０分でアクセス可能とはいえ、そう交通の便が良いとはいえないときがわ町で、ヨソ者を受け入れないような排他的な空気が町にあったら、その子たちは間違いなく町外に出ていくことを選択するだろう。そうなればときがわ町は存続していくことはできなくなる。

だからこそ、ときがわ町は外に対してオープンでなければならなかった。そして、外に開かれることで起こる変化に対して、寛容でなければならなかったのである。寛容であることで、町から出て行った人や外の人を「どうぞどうぞ」と受け入れる精神が、町全体に培われていったのだ。

そして、「しごとをつくる人」が集まって、どんどん「しごと」を生み出すことで、ときがわ町に「どうぞ経済」ともいうべき循環が生まれている。ここでいう経済とは、単にお金という意味に限らず、社会的な価値の交換も含んでいる。町や人が置かれた環境において、そこで暮らす人々との共存やWIN-WINとなるようないろいろな場面での利益の共有が図られる。

そういう意味では、「どうぞの経済（エコノミー）」というより、「どうぞの生態系（エコロジー）」と呼ぶ方が適切かもしれない。つまり、ただ経済的なつながりだけでなく、人間関係や社会的関係をも包含したより広範な意味での地域的なつながりや社会的価値が創造されるのだ。それが単発ではなく、連続的、あるいは非連続的な循環を生んでいる。

その循環は、ただグルグル同じところを回る閉じた環ではなく、そこからスパイラルアップしたり、複数の環が重なりあったり、いろいろな変化が波状的に起こったりするようなダイナミクス（多動性）とバラエティー（多様性）に富んだ、吹き溜まりのようなものである。

こうした吹き溜まりにはある種のエネルギーがある。既定路線ではないので、そこからどこにいくかわからない、何が起こるかも分からないという不安定な状態だ。でも決して不快ではない不安定さだ。何かが起きそうな期待感やワクワク感に満ちている。だから、ときがわ町は「おもしろい」のだ。

このような「おもしろさ」に敏感で、引きつけられた人は、それを期待してやってくるので「おもしろい人」ばかりだ。元からおもしろい人たちばかりではなく、なんとなく来た人も、おもしろい人たちと関わるうちに「おもしろい人」に変わっていくのだ。

おもしろい人たちは、周りにおもしろい人を増やそうとする傾向がある。そうすると必然的に町はおもしろくなるというわけだ。

こうした人たちに共通しているのは、ときがわ町に対する「愛」だ。今ときがわ町でイキイキと「しごと」をつくっている人たちは、ときがわ町出身の人も、そうでない人も、ときがわ町への愛にあふれている。つまり、地元肯定感を有しているのだ。そして、地元肯定感は自己肯定感を育む源となる。好きな地域に関わる自分の今の姿を、肯定的に受け止めることができるからである。

他の地域に比べて、ときがわ町が特別に大きな産業をもっていたり、大きな企業があったり、若者の移住が多かったりするわけではない。それにも関わらず、ときがわ町を知る近隣の人たちから、「ときがわ町は元気だよね」といわれるのは、多様な営みをする多様な考え方を持つ多様な人たちがいるからだ。

別に一枚岩にならなくてもいい。一つの大きな波にならなくていい。ときがわ町には、幾人もの人が、いくつもの小さな波を作り、それらがうねってぶつかったり共鳴し合ったりして、連綿と変化を起こし続ける。一つ一つを見れば、うまくいくこともあれば、うまくいかないこともあるかもしれない。だが、そこで決して終わりではない。寛容性と多様性が育む「どうぞの生態系」が次の変化を起こし、波は作られ続けるのだ。

そのようにして生まれる連続的な変化のおもしろさ。それがときがわ町の最大の魅力なのである。

3　私たちが描く「未来」

本章の最後に、私と関根さんが、これからときがわ町でどのようなことをやりたいと考えているのか、どのような未来を描いているのかをご披露することとしたい。

(1) 〝ときがわ社中〟(風間崇志)

私が考えているのは、「ときがわ社中」の実現だ。これは私だけでなく、栗原さんと一緒に広げているアイデアだ。あくまで構想段階であり、2人の中で明確なイメージを共有しているわけではないので、ここに書くことは私個人としての考えにすぎないことをお断りしておく。

まず「ときがわ社中」という名前だが、いうまでもなく、坂本龍馬が設立した日本初の商社といわれる「亀山社中」をもじったものだ。「社中」には会社という意味のほかに、「仲間」という意味もある。語感もよく、かなり気に入っている。イメージしているのは、会社のようなかっちりした組織ではなく、一人一人の独立した個人からなるゆるやかなコミュニティだ。

事業としては、地域の企業や自治体が抱える課題を発見したり、解決したりする地域コンサルティング機能、地域産品の開発やマーケティング、流通・販売などを手掛ける地域商社機能、関係人口とときがわ町の橋渡しをする関係案内所機能、学校と連携した地域での教育を担う地域教育機能など、地域でのさまざまな困りごとに応えることを展開できたらと考えており、私の中での想像は果てしなく広がっている。

とにかく地域の課題が集まってくるような場にしたい。そして、それを地域に関係する仲間たちで、楽しみながら解決に向かって仕事ができるような、チャレンジできるような場にしたいというのが願いだ。

起業して間もない私が壮大なことを口にするのはおこがましいのだが、こんなことを夢見る今日この頃である。すべてを全部一人でやれといわれたら、そんなことは絶対不可能だが、この町に関わるさまざまな仲間と連携して、やりたいことを一つ一つ叶えていったら、なんとなく実現できそうな気がするから不思議だ。

願わくは、私も歯車の一つでありたい。一人ひとりが、仲間と楽しみながら「しごと」をつくり、ときがわ町や周辺の地域を、いろんな選択肢のあるおもしろい町にしていきたい。

ちなみに栗原さんとは、ときがわ社中から派生して、比企郡内の滑川町、鳩山町、嵐山町などで、それぞれ「滑川社中」や「鳩山社中」、「嵐山社中」などと、展開していけたらいろんなことができそうだと想像を広げている。こうしたおもしろいアイデアは尽きることがない。

「まちづくり」とは言うが、結局、まちをつくっているのは「人」だ。そして、本書でいう「人」とは、「しごとをつくる人」にほかならない。地域で自らの「しごと」をつくり出し、いきいきと働き、生活する人々である。

彼らは、一緒にいろいろなものを共創できる「仲間」をつくり、小さくてもどんどんおもしろいことを仕掛けていく。その結果として、まちに変化が生まれる。それが「まちづくり」の実態なのではないかと思う。そうしてできたまちは、訪れる人や外から見ている人にとってもきっと魅力的に映るはずである。このようなまちであれば、「元気なまち」だと胸を張っていえるはずだ。

(2) ときがわ町に〝比企起業大学〟をつくりたい (ときがわカンパニー)

関根さんが描く未来は、「比企起業大学」の設立だ。

本書の制作にあたって、出版元であるまつやま書房の山本社長から興味深い話をうかがった。ときがわ町内の西平地区にある慈光寺は、かつては仏教を学ぶ各地の優秀な僧たちが集まってくる学びの聖地だったというのである。山本社長いわく、「今でいう東大のようなもの」だそうだ。

鎌倉・室町時代には、関東を中心とする東国の仏教の中心として栄え、最盛期には僧たちが寝泊まりするための宿坊が70か所以上も存在した。今では「宿」という交差点がその名残を伝えているばかりだが、当時はそれだけの求心力を持つ場所だったということだろう。

関根さんはこの話に非常に興味を引かれた。そして、「東大のようなもの」という山本社長の言葉に着想を得て、「比企起業大学をつくろう」と思い立ったのである。比企起業塾の発展版として、ときがわ町に「大学」をつくろうというのだ。

これまで何度か書いたように、ときがわ町には高校も大学もない。中学卒業後に進学するとなれば町外の高校に通わなくてはならない。大学に進学したり、就職したりすると、特段の理由がなければ町に戻ってこないことも大いにありえる。だから、大学をつくって、ときがわ町を出た人がときがわ町に戻ってくる理由をつくれないかということなのだ。

それもただの大学ではない。起業、つまり「自分でしごとをつくる」ことに特化した大学だ。そこには高校を卒業した人だけでなく、会社勤めをしている社会人がリカレント教育で学びにくることもある。あるいは比企起業塾の卒業生たちが、学び直しにくる場にもなるかもしれない。

文科省に認可を受けた大学である必要はなく、キャンパスも必要ない。町中をキャンパスに見立てて、起業やビジネスについて学ぶようにするのだ。

それによって、観光以外の、ときがわ町に人が訪れる理由ができるし、ときがわ町に滞在する時間も長くなる。ときがわ町を訪れる人が増えたり、滞在時間が長くなったりすれば、そこには新たな需要が生じる。つまり人が集まってくれば、そこに新たな仕事も生まれるということだ。

関根さんは、比企周辺からときがわ町に入る道路のあちこちに、「『比企起業大学　ときがわキャンパス』の看板を立てたい！」と語る。看板を立てて宣言することで、町内外の人達が「ここに、大学があるんだ」と思うようになる。これも一つの「旗を立てる」ということだろう。校舎というハコはあえてつくらずに、「場と人」をつなぐ大学にしたいと考えているそうだ。

そのようにして、また一歩、ときがわカンパニーが目指す「人が集まり、仕事が生まれる」

という町の姿に近づくことができるだろう。

比企起業大学を卒業後は、どこで起業してもいいが、中にはときがわ町や比企周辺で起業したいという人もでてくることだろう。あるいは起業しなくても、ときがわ町を気に入って住みたいという人も出てくるかもしれない。

また、卒業すれば、比企起業大学卒業生というプロフィールは残る。そのようにして、ときがわ町に関わる未来の人材をつくり、増やしていきたいというのが関根さんの願いである。

２１０ページから

次の電車が２時間来ず、隣の越生駅から明覚駅まで歩いたことがある。途中で携帯の充電が切れ、線路を頼りにひたすら進んでいると遠くに見える赤い屋根。明覚駅がそこにあるとわかると、「帰ってこられたんだ」と思わず安堵した。静かなたたずまいでありながら、明覚駅は町のシンボリックな存在なのではないかと感じた瞬間でもあった。

他の町民にとってはどうだろうか。車通りはそれなりにあっても道路を歩く人はほとんど見かけないときがわ町において、明覚駅は町の人たちの生活ぶりがよく垣間見える場所だと思う。夕暮れ時には、駅近くにあるすべり台で遊ぶ孫と祖母、ゲームを片手にしゃべる小学生の姿。夜遅い電車を降りると、迎えに来た車に乗り込む人をよく見かける。普段は歩いていてもあまり子どもをみかけないが、通学で駅を利用する高校生が多いせいか、明覚駅で乗車する人を見ているとこの町にこんなに子どもが住んでいたのかと思わされる。明覚駅は確実に町民のライフラインであり、人が集まる場所だと思う。

そんな明覚駅に来年４月、ときがわ町の観光協会が移転するらしい。現在は木工品を中心に地元の商品を幅広く取り扱っている物産館「建具会館」に拠点を構えている。と言っても、建物の奥にひっそりと立て看板があり、中の様子は扉を開けない限り窺い知れないので妙に立ち入りづらい。今は控え目に見える観光協会の町の中心地への移転が、ときがわの観光業にどんな刺激を与えていくのか。明覚駅で生まれる新たな人の動きがその答えを教えてくれるだろう。

第5章

まちづくり試論

1　まちづくりの成功とは何か？

ここまで、「人」と「しごと」に焦点を当て、今ときがわ町で起こっていることを明らかにすることを試みてきた。そこで気づいたのは、ここで紹介した人たちは、行政に関わる方を除けば、決して「まちづくり」を目的に何かをしようとしているわけではないということである。

多くはただ、ときがわ町で自分の「しごと」をつくろうとしているだけだ。あるいはその過程で生まれてくる成果が、少しでもときがわ町にとって良いものになるようにと、少しの余白を開いている程度である。

だが、まぎれもなく、ときがわ町では「まちづくり」が行われていると私は思う。「まちづくり」とは、人がまちとの関わりをつくり、その過程で、あるいはその結果として、まちが変わっていくことだと考えるからである。

そこで、本書の最終章では、共著者の関根さんも交えて、まちづくりに関する私とときがわカンパニーの考えを提示することとしたい。

（1）まちづくりの成功とは？

このことについて書こうという考えに至ったのは、この原稿を書いている途中の打ち合わせで、ある方からこんな投げかけをされたことがきっかけだった。

「まちづくりの成功は、人口増しかないでしょう。」

その言葉を聞いた時、私と関根さんの動きが一瞬止まり、思わず顔を見合わせてしまった。

「まちづくりの成功は、人口増なのか？」

そんな疑問が頭に浮かんだ。この問いについて、まずは私の考えを述べる。次に関根さんの考えを聞くこととしたい。

●まちづくりの成功とは？（風間崇志）

果たして、「まちづくりの成功」とは何だろうか。これは、まちづくりに関わる者が、真っ先に回答を出さなくてはならない究極の問いだ。なぜならば、「まちづくりの成功」が何かを定義しない限り、何が正解かがわからないし、何をすればそこに近づけるのか、また、現状がそこに近づいているのかそうでないのかを判断することができないからである。

「まちづくりの成功」が何かを考える時、まず思い浮かぶのは、先ほど出た「人口の増加」という答えだろう。確かに、人口の減少によって生じる弊害は大きい。特に少子化による生産年齢人口の減少は、地域の産業の衰退やインフラ、福祉に関わる地方財政の逼迫にもつながる。人口減少が国全体の活力の衰退を招くと懸念されるのももっともである。

だが、だからといって「人口の増加」だけが唯一絶対の正解だと決めつけるのは、地方の現状を踏まえると、あまりに救いがない。国全体で人口減少が進む中で、人口増加だけを狙おうとするのは、「ゼロサムゲーム」でしかない。移住促進の名のもとに繰り広げられる人口争奪戦になりかねない。競争に勝った自治体はそれでいいのかもしれないが、競争に負けた地域はさらに衰退してしまうだろう。

また、国全体の人口が減少する中で、人口増を勝ち取れる自治体が多数を占めるとは考えにくいから、人口減少で衰退する自治体はますます増えていくことが容易に想像される。そうなれば、国の活力が上向くどころか、国全体の衰退を招くことになる。多くの地方の衰退が、ひいては国の衰退につながるということだ。

では、人口減少時代という日本の現状を踏まえた上で、今の、そしてこれからのまちづくりに必要なことは何だろうか。それは、「多様な選択肢」ではないかと私は考えている。「はじめに」でも触れたように、まちづくりの成功とは、「まちをつくる人たちが幸せになること」であり、それには唯一絶対の正解はないというのが私の考えだ。どういうことかというと、幸せの形は人ごとに違うし、まちごとによっても違う。また、同じ人・同じまちでもその時その時の時代によっても何が幸せかは異なるし、決してその形は一つではありえないということである。

そもそもまちにはいろいろな人が生活し、働き、関わり、各々の営みを繰り広げているから、それらによって構成されているまちは、ダイナミクス（多動性）とバラエティー（多様性）にあふれているのが本来の姿のはずである。

それなのに、農業のまちだとか、工業のまちだとか、何か一つの側面によってだけ切り取ってしまうのはいささか単純すぎる。もちろん地域を知ってもらうためのプロデュースや地域産品のＰＲとしてはそれが有効である場合もあるが、度が行き過ぎてしまうと過当競争になり、結果として地域が疲弊してしまうことになりかねない。

もちろん人口増加が悪いといいたいわけではない。そうではなく人口増も数ある成功シナリオの一つに過ぎないということだ。

いや、成功か失敗かということ自体がそもそも成立しない問題で、人口の増減は単なる結果論なのかもしれない。まちが消滅しない限りは「まちづくり」という現在進行形には終わりがない。だから、どうしたらまちに良い変化を生み出し続けられるかということがまちづくりの本質ではないかというのが私の考えだ。つまり、人口増は目的ではなく、あくまでまちづくりの過程で現れる現象の一つに過ぎないということだ。

一つの大きな波がなくてもいい。大きな一つの波は、それが過ぎ去ってしまえば終わりである。小さくても、いろいろなプレイヤーが複数の波を次から次に起こすこと。それによって共鳴したり、波同士がぶつかったりして、そこにある海にいろいろな変化が起こる。一つの小さな波が、次の波をつくり、その波がそのまた次の波をつくる。そうして継続的な変化がそこには生まれるのだ。

もちろん、時には反発してぶつかり合うこともあるだろう。それはそれでよい。ぶつかったときにどちらかが妥協してしまっては、結局いずれにしてもシコリが残る。ぶつかったときは離れればいい。無理に一緒にやる必要はない。だからといって、絶対に別々にやらなければいけないわけでもない。一緒にやった方がいいことは一緒にやるし、そうでないところは自分だけでやればいいだけだ。

それが渡邉さんのいう「どうぞどうぞ精神」の基本である自分の責任で自らやるということだし、山﨑寿樹さんのいう「リーダー」であるということだ。自らが動くとともに、他人の邪魔をしないというのは、ミニ起業家(あるいは起業家)としての素質でもある。

だが、勘違いしてほしくないのは、起業家になるだけが唯一の道ではないということだ。あくまで私たちが提示したいのは、一つの可能性、一つの選択肢としての起業である。いい大学に入って、いい会社に就職する。これまでのそんな既定のレールではない、いろいろな選択肢の一つとして、起業、とりわけ地域での「ミニ起業」を提案している。

当然、経営者になりたい人、経営者に向いている人ばかりではない。言われたことを忠実に実行することに対して実力を発揮できる人もいる。人の事業を手助けすることにやりがいを感じる人もいる。

また、同じ人でも、その時々のキャリアによって、やりがいを感じる対象が異なることもありえる。たとえば、部署によって求められる仕事が違ったり、上司との関係性によっても、自分の置かれた役職・立場によっても違ったりする。

私自身もそうだった。公務員として、自分の希望に関わらず異動の辞令に従ってきた。その中で、マニュアルどおりに確実に仕事をすることが楽しい時期もあれば、まだ形のない事業をイチから自分でつくり上げることの楽しさに芽生えた時期もあった。

１人の人間でさえそうなのだから、１０人いれば１００通りくらいの違いがあるだろう。千差万別、人生イロイロだ。だからこそ、いろいろな背景を持つ人たちが幸せに生きていくためには、彼らの多様性を受け入れることのできる寛容性がまちには必要なのだ。そして、まちに生きる人の多様性を受け入れた結果として、多様性のあるおもしろいまちができるのではないかと思う。

ときがわ町にはこのような寛容性と多様性が見られ、たまたまそれが発露した象徴的な姿が「ミニ起業家」であり、「しごとをつくる人」であり、私がそれに惹きつけられたということだ。私と関根さんは、自らの辿ってきた道とときがわ町との関わりの中から、「ミニ起業家」という切り口を、一つの選択肢として本書で提示したにすぎない。

まちづくりには、ただ一つの正解といえる成功はない。ただ、一ついえることは、人口の多い少ないはあるにせよ、そのまちに愛着を感じたり、いきいきと暮らしたりしている人がどれだけいるかということは、そのまちのまちづくりの成功を測る尺度にはなり得るかもしれないと思う。

というのも、仮にそのまちが大嫌いで、一刻も早く出ていきたいと思う人が占める割合が多いようなまちがあるとしたら、きっとそのまちのまちづくりは望ましい方向に進んでいるとは誰も思わないだろうからだ。考えてみれば当たり前の話だが、住んでいる人がそのまちのことを好きではなかったら、まちのために何かをしたい、そのまちを良くしたいとも思わないだろうし、そこに誰かを連れてきたいとも思わないだろう。

逆に、住んでいるまちのことが大好きだと思えるからこそ、そのまちのために何かしたい、誰かに教えたい、友人を呼んできたいと思えるのだ。

要するに、久保田ナオさんの言葉にあったように、「自分の関わる地域に対する肯定感＝地元肯定感」を持てるまちであること。これがまちづくりの究極の目的ではないだろうか。そのための手段は、極端な話なんでもいい。人口を増やすことでも、地域産品を海外に輸出することでも、教育に力を入れることでも、起業家を育成することであっても。なんであれ、そこに暮らす人の地元肯定感を増すことができるのであれば、それらはすべて望ましいまちづくりの有効な手段になりえる。

まちづくりの成功には一つの正解の形はないが、成功と呼ぶために必要不可欠な条件が、この地元肯定感なのではないだろうかと私は考えている。そして、この地元肯定感を育むためには、大好きだと思える地域への貢献感と所属感が必要だ。そしてそれには、何よりも「仲間」が必要不可欠である。

「仲間」とは、何もずっと一緒にそばにいる存在でなくてもいい。普段は別々のことをやっていても、いざ何かの時には頼り合える存在、共創し合える存在、互いの成長につながる存在。それが、私が考える「仲間」だ。

私はときがわ町で多くの「仲間」を見つけた。彼らの存在が、私がときがわ町に関わる理由であり、本書を書くモチベーションになっている。ときがわ町に関わる「仲間」たちと、これからどんなおもしろい変化を起こせるか、考えるだけでワクワクしてくる。起業における不安よりも、これから先へのワクワクの方が大きいというのが正直なところである。

だからおそらく、今この瞬間においては、「私にとってのときがわ町のまちづくり」は成功していると言っていいだろう。同じように、ときがわ町に関わる一人一人の「私」が、「ときがわ町は楽しい！」と思える時、「私たちのまちづくり」が成功したといえるに違いない。

以上が、「まちづくりの成功とは何か？」に対する私たちなりの回答である。次に、この問いに対する関根さんの考えを聞くことにする。

●まちづくりの成功とは何か？（関根雅泰）

風間さんと、この本の打ち合わせをしていた際のこの問いかけから「まちづくりの成功」について改めて考えてみました。

「人口増」ということは、ときがわ町に住んでくれる「移住者」（人口の社会増）や、ときがわ町で生まれる人（人口の自然増）を増やすということです。しかし、日本全体の人口が減っている中で、本当に、ときがわ町の人口増を目指せるのでしょうか？もし目指すなら、他の自治体と、人の取り合いをする「ゼロサムゲーム」状態になるでしょう。私は、そんな状態をつくりたくはありません。

人口増とは「量的増加」と言えます。人が増えることが、本当に、まちづくりの成功の証なのでしょうか？　何か他の観点はないでしょうか？

私が考えるのは「質的変化」です。ときがわカンパニーが行っているまちづくりの活動を通じて、ときがわ町や、比企郡の質が変わっていく。そうなれば、まちづくりが成功したと言えるのではないでしょうか。

では、どんな「質」が変化していくのか。それは、今まで少なかったミニ起業家の割合が、住民の中に増えていくことだと、私は考えます。雇われるという働き方が多かった住民の中から、自分で仕事を創れるミニ起業家の数が増えてくる。そうすることで、徐々に、地域の「質」が変わってくるのです。

仮に、今までは地域課題に対して「行政が何とかしてくれる」「自分達ではどうにもできない」という他力本願な意識や他人事感があったとします。それに対して、地域にミニ起業家が増えてくれれば、それらの地域課題を自分事として捉え、自らその解決に取り組む人も出てくるでしょう。

比企起業塾のメンバーで言えば、空き家問題に取り組む尾上美保子さん、耕作放棄地問題に挑む飯島紘一さん、千春さん、ニュータウンの高齢化問題に向き合う本家豊大さん、菅沼智香さんが、その典型でしょう。

これらの地域課題の芽は、おそらく３０年前（１９９０年頃）ぐらいから出始めていたと思います。バブル経済が崩壊し、就職氷河期やロストジェネレーションをつくったあの時代。それが、期待された第3次ベビーブーム（第2次ベビーブーマーである団塊ジュニア世代の出産増）の到来を起こさず、日本全体の人口減少につながる一因ともなりました。

人々は、仕事がある都会へと地方から流れていきました。地域であとを継いでくれる人も減るため、空き家や耕作放棄地が生まれてきます。若いころ、都会へ通勤し、地域をベッドタウンとして過ごしてきた人たちは、３０年たった今、定年後の地域での居場所づくりに苦労しています。

もし、30年前のことが今にも影響を及ぼしているとするならば、今やっていることは、きっと30年後（2050年）にも影響してくるでしょう。

ならば、私たちが今やりたいこと、やるべきことは何か。それが「人づくり」だと考えています。今、自分で仕事をつくり出せるミニ起業家の割合を、地域で増やし始めることができれば、きっと30年後にも起こってくる地域課題に対して、自分事として取り組んでくれる人たちが出てきているはずです。そういう意味でも、私たちは人の可能性、そして、ミニ起業家の力を信じています。

では、私たちが、今そして未来を託せるミニ起業家とは、どんな人達なのでしょうか？その行動特性を、3つ取り上げます。①エフェクチュエーションの活用　②分度を稼いで、余剰を推譲　③身近な人を大切に
まず、「①エフェクチュエーションの活用」です。私が勉強している経営学では、ミニ起業家が使うのが、エフェクチュエーション Effectuation という方法です。今ある手持ちの資源で、出来る事を紡ぎ出していきます。計画通り進まなくても、臨機応変に柔軟な対応をしていくのです。今そして未来の地域課題解決という「答えのない」状態で進んでいくためには、ミニ起業家によるエフェクチュエーションが必要になるのです。

それに対して、未来像から具体的な計画を立てる方法を、コーゼーション Causation と呼びます。どちらかというと、正しい答えややり方があるという前提で動いていく方法です。

行政が考える総合計画やグランドデザインなどは、コーゼーションの最たるものでしょう。

次に、「②分度を稼いで、余剰を推譲」です。これは、二宮尊徳翁の書籍から得た言葉です。支出の限度を「分度」と定め、それ以上の収入を「余剰」として、その余剰を、他人のために「推譲」するという実践方法です。農村経営コンサルタントとも言える二宮尊徳は、この方法を用い、藩や農村の財政再建を行ってきました。

「分度を稼ぐ」のは、ミニ起業家にとって非常に重要です。小さいながらも経営者として、事業を回し利益を上げていく。自分や家族の生活費、事業経営に必要な外注費や経費といった「分度」をきちんと稼いでいく。これがまず基本です。偉そうに「地域課題を解決する！」といっていても、自分の稼ぎもしっかりしていない、身近な家族も経済的につらい、という状態では、本末転倒です。「衣食足りて礼節を知る」ですし「修身斉家治国平天下（しゅうしんせいかちこくへいてんか）」です。まずは、自分の身を修めて、家族を大事にして、はじめて大きなことができます。

その上で、「余剰を推譲」します。お金を稼ぐことは目的ではなく手段です。稼いだお金を自分のためだけに使うのではなく、他人に推譲するのです。これは地域で活動するミニ起業家の義務といってもいいでしょう。「ノーブレス・オブリージュ　Noblesse Oblige（貴族の義務）」という言葉がありますが、地域で分度を稼がせてもらっているからこそ、生まれた余剰（お金、時間、労力、知恵）を、地域や他の人、そして未来のために推譲していくのです。

自分より後輩のミニ起業家に対して仕事を発注することも、この推譲にあたります。お金を自分の所だけでとどめておかずに、周囲に回していくのです。そうすると「情けは人の為ならず」で、巡り巡って自分の所にも帰ってきます。そういう循環を、ミニ起業家は余剰を推譲することでつくっているのです。

最後に、「③身近な人を大切に」です。事業をきちんと回し、イキイキと幸せそうに活動しているミニ起業家の多くが「身近な人を大切に」しています。特に、身近な家族との時間を大切にしている人が多いです。論語に「近き者よろこべば、遠き者来たらん」という言葉があります。一番身近な人（家族や既存のお客様）を大切にすることが、遠くの方々（協力者や新規のお客様）に来てもらうためにも必要なのです。

身近な人を大切にしつつ、地域課題解決といった自分の大きな目標に向けて邁進していく。いわば「目線は高く、足元固く」といった行動を、ミニ起業家はとっているのです。

以上、今そして未来を託せるミニ起業家の3つの行動特性をご説明しました。説明内でも引用したように、過去の偉人や古典の言葉の中に、ミニ起業家育成のヒントになるものが、数多くあります。

そのような古典を世に伝えて下さっている偉人の一人に、安岡正篤先生がいます。安岡先生が戦前、人材育成の拠点として、日本農士学校を隣町の嵐山町に設立されています。全国で学校設立の候補地を探していた中、東京からも近く、畠山重忠ゆかりの地であった比企郡嵐山町を、その地として選んだそうです。

また、まつやま書房の山本社長のおっしゃるように、ときがわ町には「西の京大＝比叡山延暦寺」に対して「東の東大＝慈光寺」があります。奈良時代から連綿と続く学問の地が、この比企郡ときがわ町なのです。だからこそ、この地に「比企起業大学」をつくり、自ら仕事をつくるミニ起業家を育てていきたい。それが私たちの願いです。

最初に述べた通り、ミニ起業家の割合が地域で増える事で「質的変化」に繋がり、それがまちおこしの成功指標になると、私は考えています。では、ミニ起業家の割合が増えたことを、どうやって測定すれば良いのでしょうか？開業率や自営業者の数を見るといった方法もあるかと思いますが、私から、ひとつの提案をさせてください。

それは、ときがわ町の中学生たち（玉川中・都幾川中）に対して「起業態度」を問うアンケート調査を行うことです。「起業態度」とは、起業の身近さ、関心の高さ、起業に対する周囲の見方等について聞く項目です。世界数十か国で、１９９９年から行われている調査（GEM：Global Entrepreneurship Monitor）があるのですが、日本はこの「起業態度」が、ほぼ最下位なのです。この起業態度と、実際の起業活動は密接に繋がっていて、日本では、この起業態度を有する人の数が少ないことが、起業活動が低迷している要因といわれています。

その一方、起業態度を有している「起業家予備軍」から、実際の起業率は多くの先進国を上回り、米国並みの水準となります。さらに、日本は起業家が数多く生まれないかわりに、一度生まれると容易には廃業せず、米国の「多産多死」に対して「少産少死」なのです。つまり、起業態度を有する人を増やせば、その人たちのほとんどが起業し、さらに継続して頑張ってくれるのが日本という国なのです。だからこそ、起業態度を有する人達を増やす活動や施策が有効であると考えられるのです。

この「起業態度」を有する人の割合が、現在の低水準から、徐々に上がっていったとしたら、それはときがわ町の「質的変化」（起業態度低→起業態度高）といえるのです。仮に、中学生に調査を行う場合、彼・彼女らの起業態度に影響を及ぼすのは周囲の大人たちでしょう。身近な大人たちが、起業し、イキイキと楽しそうに活動している様子を身近に感じれば、彼・彼女らの起業態度も高まってくるといえます。逆に、起業する人も少なく、起業しても「失敗した～、やっぱり安定した仕事に就くのが一番」などと語る大人が多ければ、起業態度は下がっていくでしょう。

比企起業塾や、比企起業大学での活動を通じて、自ら仕事をつくり出せるミニ起業家が増えていくことが、ときがわ町や周辺地域の質的変化を生み、そうなれば、私たちが関わるまちづくりは成功したといえるのでしょう。それが「まちづくりの成功は、人口増なのか？」に対する私なりの答えです。

（２）なぜ、「まちづくり」はおもしろいのか

前項で「まちづくりの成功とは何か」について関根さんの考えを聞いたが、その過程で、ふと頭に浮かんだのは、「なぜ私はまちづくりに興味を感じるのか」「なぜ私はまちづくりをしているのか」という疑問だ。私は公務員として１４年間働いたが、そういえばそのことを深く考えたことはなかった。

いうまでもなく、まちというのは、「まち」という確固としたモノがあって、ただそれだけで存在しているわけではない。そこで暮らしたり、働いたりしている「人」がいて成り立っている。言い換えれば、まちとはそこで生きる人の人生の集合体である。とすると、まちづくりとは、「人づくり」ともいうことができる。

ただ、いかんせん「人をつくる」というのはなんとなくおこがましくて嫌だ。だから、「人がつくる」ということだと私は解釈することにしている。人がつくるものはまちであり、まちの未来だ。あるいは、人とまちとの関わりをつくり、まちが変わっていくことだ。

同様に、まちおこしという言葉も「人おこし」だと考えている。つまり、「まちをつくる人を起こす」ことだ。自らまちをつくるという意識の人が増えれば増えるほど、まちは元気になるはずだ。

「まちづくり」「まちおこし」とは何かということについては、人それぞれで考えが違うと

思う。それでいい。それが合っているとか、間違っているということは正直、私にとってはどうでもよくて、私が重要だと思うのは、その人がどうまちと関わるのかという、「人とまちとの関わり方」の一点に尽きる。まちとの関わり方というのは、そのまま「まちとの関わり方」ということでもあるし、「まちの人との関わり方」ということも含まれる。

まちづくりという言葉には、不思議と人を引きつける力がある。言葉の響きは、「ものづくり」に似ているが、ものづくりとは違う性質がある。それは、完成することがないということだ。つまり終わりがない。まちづくりは、常に現在進行形なのである。人はいつか死ぬことがあっても、まちは、そこに人間がいる限りなくならない。

まちづくりは終わることがない。言い換えれば、まちは変化し続ける。置かれた状況によって、目に見える変化はないと感じるくらいゆっくりであったり、数か月の間に急速な変化を遂げたりすることもあるかもしれない。だが、変化が止まることはないのは同じだ。どんなに人口が少なく、田舎であっても。

むしろ、ときがわ町のような田舎の地域の方が、変化が限られた範囲で起こり、生活や仕事に身近であるため、ジブンゴトのように感じやすい。自分が行動したことによって、まちに変化を起こしやすいし、それを実感しやすいということだ。

自分が起こした行動で、まちに変化が生まれていくと、まちがジブンゴトに感じられるし、愛着もわいてくる。自分のやったことの結果が目の前で見られるから、より情熱を持って行動するようになる。自分の行動にも責任を持つようになるのだ。そういう人たちが多くなればなるほど、まちは良くなっていくはずである。自分の住むまちが良くなってほしいと思わない人はいないからだ。

誤解されていることも多いが、まちづくりは決して行政だけのものではない。住民だけのものでもない。行政や住民、通ってくる学生、会社員、起業家など、そこに生きる人たちすべてが関わるものだ。そして、まちとどう関わるかはそれぞれの選択に委ねられている。

とはいえ、どこからどこまでという、時間的・空間的な区切りが明確ではないのが、まちづくりの難しいところだ。だが、このようにしてまちづくりは続いてきたし、これからも続いていく。また、これからの時代はもっと、そこに生きる一人ひとりの力、主体的な関わりが重要になっていくはずだし、もっと自分から関わっていいと思う。私たちが住むまちの未来は、私たちでつくれるのだ。

だから、まちづくりはおもしろい！

2　ときがわカンパニーとは、何か？

本書の結びとして、サブタイトルである「ときがわカンパニー物語」の「ときがわカンパニー」について考えてみることにする。私たちにとって、ときがわカンパニーとは、そもそも何なのだろうか。本書の大詰めという頃に、改めてこんな疑問が湧いてきたので、この機会に整理しておくこととしたい。

極めて狭義を考えるならば、関根さんが経営するイチ法人の名称である。だが、ここでいいたいのはもちろんそんなことではない。第1章で、「ときがわカンパニーとは、社名でもあり、そこに集まってくる仲間を指す言葉でもあるのだ」と書いた。これは、ときがわカンパニーといろいろな事業で関わっている私の感覚なのだが、知らない人からするとなかなか分かりづらいらしい。

そのため、最後に、改めてこの身近で、身近すぎるがゆえに見過ごしていた疑問について考えることにする。まずは、共著者であり、ときがわカンパニー代表である関根さんの考えを聞く。次に、ときがわカンパニーを間近に見ている一人として、私の考えを述べることとしたい。

●ときがわカンパニーって何？（関根雅泰）

「ときがわカンパニーって何？」というのは、地域の方からもよく聞かれる質問です。

・ときがわ町に、人が集まり、仕事が生まれる状態をつくる為の会社
・地域に仕事を創り出せるミニ起業家を育成する会社
・従業員は雇わず、ミニ起業家に案件ベースで仕事を発注している会社

…と、いろいろ言葉を尽くして説明するのですが、いまいち伝わりません。

今回の本でも「ときがわカンパニーがやっている事を、イラストにまとめて下さい」というご依頼がありました。そのイラストづくりの打ち合わせを、デザイナーで比企起業塾１期生の久保田ナオさんとしていた時、ナオさんから、こんな一言をもらいました。

「ときがわカンパニーは、思想ですか？」

「思想」！

この言葉をもらったとき、私の中で、何かがはじけました。確かに「思想」かもしれません。私が考えている新しい働き方、仲間との仕事の仕方、地域との関わり方、それらの考えを実践し、体現しようとしているのが、ときがわカンパニーなのかもしれません。

と、それを一緒に聞いていたラーンネクストの栗原さんからは、こんな一言をもらいました。

「ときがわカンパニーって、〝なんか『しそう』〟って、感じがしますよね。」

「なんかしそう」！

これも確かにあるかもしれません。地域の方々からは「ときがわカンパニーは、何やってるか良く分からないけど、なんかしそうな雰囲気はある」と言ってもらったこともあります。特に、新聞折り込みチラシで入れている「ときがわカンパニー通信」を読んだ方々からの反応からは、そういった期待が感じられます。

更に栗原さんから、

「関根さんは、なんかまいてる、花咲か爺さんみたいな感じですよね。」

と、右手で何かをまいているジェスチャーをします。それを見たナオさんは、「わかる！それいいですね！」と一旦しまった iPad を取りだして、絵を描き始めています。

え？　俺って、何かまいている人なの？　花咲か爺さん？　まだ４８歳なんですけど…。

と、戸惑っていたら、風間さんが、「花咲か爺さんの灰は、臼を燃やしたもので、その前は、松…」と民俗学的見地から解説を加えてくれています。それを聞きながら…

でも、何かまいているからこそ、誰かの中にある「種」が芽吹くのかも…。

咲くのは、ヒマワリかもしれないし、桜かもしれないし、雑草かもしれない。

それは、その人が持っているタネ次第。それが芽吹くのを手伝うのが、俺の仕事。

確かに！　とっても腑に落ちます。私が、イヤなのが「総合計画」とか「グランドデザイン」とかで、「ここに植えるのはヒマワリで、こっちは桜」と、こっちが勝手に、咲くものを決めつけることです。

そうであれば、花咲か爺さんとして、何かをまいて、その人たちが持っているタネが芽吹くのを手助けするというのが、まさに、ときがわカンパニーがやっていることなのかもしれません。

でも、まだ爺さんではないので「花咲かオジサン」でお願いします。

●ときがわカンパニーとは何か？（風間崇志）

「ときがわカンパニーとは、社名でもあり、そこに集まってくる仲間を指す言葉でもある」。これは「カンパニー」という言葉と、私がときがわカンパニーと関わって感じてきたことが結びついたイメージであった。改めて、「ときがわカンパニーとは何か？」を考えると、確かにそれだけではない。

「花咲かオジサン」の件で、さらに連想が深まったので、この場を借りて整理してみる。先の関根さんの言葉にはこうあった。

でも、何かまいてるからこそ、誰かの中にある「種」が芽吹くのかも…。
咲くのは、ヒマワリかもしれないし、桜かもしれないし、雑草かもしれない。
それは、その人が持っているタネ次第。それが芽吹くのを手伝うのが、俺の仕事。

確かに！　とっても腑に落ちます。私が、イヤなのが「総合計画」とか「グランドデザイン」とかで、「ここに植えるのは、ヒマワリで、こっちは、桜」と、こっちが勝手に、咲くものを決めつけることです。

人には誰でも持っている「種」がある。関根さんが何かをまくことで、そこから育つものは花かもしれないし、葉かもしれないし、実かもしれない。それもヒマワリだったり、桜だったり、あるいはバナナだったりするかもしれない。「何を」芽吹かせるのはその人しだいだ、とそういうことであった。

この植物の比喩は非常にわかりやすかったので、さらにこれを発展させてみることにする。植物が育つために、一般的に必要なものは「土」、「水」、「空気」、「太陽」だ。ときがわカンパニーが提供しているのは、これらの要素に該当するものなのではないか。

まず「土」からいこう。これにはときがわ町というフィールドとiofficeという場が該当する。普段、仕事をしている場所から離れ、「どうぞどうぞ」と受け入れてくれるときがわ町で「しごと」をつくることができる。iofficeには地域で「しごと」をつくる人たちや、これから「しごと」をつくろうとする人たちが多く集まり、共創のクラスターが形成されている。そこは森の中の土のようにふかふかで、養分を含み、何かが生まれそうな基盤となっている。

次は「水」だ。自分がやりたいことを「しごと」にするようになると、その人はまさに水を得た魚のようにイキイキと輝きだす。「水」は、やりがいや生きがいのような言葉で表現できる。人がやりがいを持って働ける「しごと」を見つけるお手伝い、「しごと」での活躍の機会を与えてくれる。お金のための仕事ではなく、ジブンゴトとしての「しごと」をすることで、より自分の人生や地域を大切に思えるようになり、向上心・探究心が高まる。

次に必要なのは「空気」だ。ときがわカンパニーに関わる仲間たちは否定をしない。それが何よりも大事だ。それによって「自分にもできそう」「何かが起こりそう」という雰囲気が常に満ちている。

最後は「太陽」だ。関根さんの言葉にもあるとおり、ときがわカンパニーは決して強制はしない。決めるその人自身だ。そして、その人が決めたことに対しては、今度は必要以上の手助けはしない。もちろん必要な支援はするが、依存心を植え付けてはならないからだ。太陽のように温かく見守る。その安心感から、思い切って自身のやりたいことにチャレンジすることができる。失敗しても、責めることなく、次の糧にする道筋を示してくれる。

いささか美化しすぎているように思われるかもしれないが、率直なところをまとめてみたつもりだ。

もちろん、これらのことは関根さんの存在によるものが大きいが、決してそればかりではない。やはりときがわカンパニーに関わる仲間の存在も大きいのではないかと思う。さまざまな仲間が関わる中で、新たな関わりが次々に生まれ、それぞれの人と人の関わりが多様化し、最適化されていく場。それが「ときがわカンパニー」なのではないかと思う。

おわりに

1　あなたの未来がまちの未来に

本書を読んで、ときがわ町に興味を持っていただいたなら、ぜひときがわ町を一度訪れてほしい。訪れてみると、どこにでもある「普通」の町であることがお分かりいただけるだろう。けれど、そこで生きる人々にとっては、かけがえのない町だ。この町にいる人の多くがそう思っていることが感じられるのではないかと思う。そして、あなたも何かやってみたいと思っていただけたなら、こんなに幸せなことはない。

別にときがわ町でなくてもいい。あなたが、あなたの住むまちや関わりたいと思える場所を見つけ、そこで自分の役割や仕事を創り出そうとすれば、そこからあなたの人生もまちも変わるはずだ。あなたのつくる未来はそこにあるのだから。

そういう人が創り出すさまざまな未来が増えていったら…。そう願ってやまない。

追記

実は、本書の執筆のさなか、ジャーナリストの神山典士さんから関根さんのもとに、「トカイナカコンソーシアム」設立の提案があった。このネットワークの発足に伴い、情報発信媒体としてWebマガジンおよび雑誌『埼玉トカイナカ』を刊行するという。

そして、あれよあれよという間に、Webマガジンと雑誌で埼玉県のトカイナカの一つであるときがわ町の連載企画が決まり、なんと私がこの連載を担当することとなったのである。

待てよ。本書では、比企起業塾関係者を中心に、ときがわ町の「しごとをつくる人たち」を取り上げた。だが、ときがわ町には、まだまだたくさんのおもしろい人たちがいるではないか。

そこで、『埼玉トカイナカ』を、本書の姉妹編として位置づけ、本書で取り上げきれなかった「しごとをつくる人」たちをご紹介していくことにしたいと思う。本書を手に取っていただいた皆さまには、ぜひこちらも合わせてご覧いただけると幸甚である。

埼玉トカイナカ QR コード

2 「関根さんが、死んだら、この活動は終わる」のか？

最後の最後に、共著者の関根さんからも一言をもらいたい。関根さんとしては、本著執筆中に投げかけられた右の問いへの考えを示すことで、本書の結びにしたいそうだ。

この本を出版して下さる地元のまつやま書房さんとの打ち合わせは、いつも刺激的です。比企起業大学の発想も、山本社長からの一言でしたし、「まちづくり」について、色々考えられたのも、まつやま書房さんのお陰でした。そんな中、山本社長から、次の問いを投げかけられました。

「関根さんが、死んだら、この活動は終わる」

ショッキングな言葉でしたが、確かにそうかもしれません。その反面、もし私がやっていることが「なんかまいてる花咲かオジサン」であるとしたら、この活動は終わりません。私がまいた何かにより、誰かのタネが芽吹くかもしれないからです。

そういう意味では、風間さんと書いたこの本も、私たちがまく「何か」の一つになるでしょう。私たち二人は、本の力を信じています。私自身、1冊の本が、あることのきっかけになったからです。

それは、『奇跡の本屋をつくりたい　くすみ書房のオヤジが残したもの』という本（ミシマ社）です。北海道にあったくすみ書房さんが、資金繰りに苦しみながらも、クラウドファンディング等で支援を集め「奇跡の本屋」をつくる過程を描いた本です。ところが、その志の半ばに、ご本人が亡くなり、その本屋さんも潰れてしまいました。書籍の原稿も、途中で終わり、その続きは、この店主さんと顔なじみの大学教授と、その方の娘さんが、書き足しています。

この本を読んだとき、涙がでました。そして、「何かやろう！」と、自分の中に「何か」が入った気がしました。それが、「ときがわ町に本屋をつくろう！プロジェクト」につながり、仲間の力を借りながら「本屋ときがわ町」の開催につながっています。

私にとっては、その本によってまかれた「何か」が、自分を動かす原動力になりました。風間さんと書いたこの本が、読んだ誰かにとっての「何か」になることを願っています。

謝辞

本書のテーマは、「なぜ、ときがわ町に若者が引き寄せられるのか」を解き明かすことにありました。そのことについては、私が今考えうる限りで本書に書き込んできたつもりです。ただ、本書を書いている間にもいろいろな動きが連続的に起こっており、どの時点までの情報を書くか悩むとともに、本当にこの町はおもしろいと改めて感じているところです。

２０１８年の比企起業塾第二期に参加して以降、ときがわ町とときがわ町に関わる方々に育てられてきたことに、心から感謝するとともに、こうしてときがわ町に関する本を執筆する機会をいただけたことの幸せをかみしめています。

駆け出しのミニ起業家であるにもかかわらず、この「ときがわ本」の執筆という大役を任せてくださった関根さんと、本書のきっかけをつくっていただいた、まつやま書房の山本社長のお二人には、感謝の言葉しかありません。思いがけず、「子どもの頃から思い描いていた「本を書く」という一つの夢を、現実のものとすることができました。本当にありがとうございました。

また、それぞれ仕事があるなか、ご多用にも関わらず快くインタビューに応じてくださった西澤さん、渡邉さん、谷野さん、金子さん、小堀さん、山﨑さん、伊得さんにも、この場を借りて厚く御礼を申し上げます。ありがとうございました。

次に、比企起業塾の仲間たち。いつも皆さまには刺激と楽しさと興奮をいただいています。

拙い私の文章で、皆さまの魅力をお伝えすることができたかは甚だ心配ですが、今後も切磋琢磨しつつ、おもしろいことを一緒に企てていければ幸いです。比企つづき（引き続き）、よろしくお願いします！

また、黒子として、さまざまな人たちの活動を支えてくださっている、渡邉町長はじめ、ときがわ町役場の皆さま。地域の産業創出や活躍の場の提供など、皆さまが地元の方々のハブとなってくれるからこそ、私たちが安心して事業に取り組めているのだと思います。いつもありがとうございます。私も元行政マンとして、負けずに行政と民間とのパイプ役となりつつ、また行政のパートナー的な役割を担っていければと考えています。

次に、二人の子どもたち、悠希と朝陽。公務員を退職したことで、最も嬉しかったのは君たちとの関わりが増えたことです。泣いたり、笑ったり、暴れたり、怒ったり、叫んだりと騒々しい毎日ですが、暇することはありません。何より君たちの笑顔に、父親であることの幸せを感じています。ありがとう。

最後に、妻、有加へ。ときがわ町と出会うきっかけと起業への後押しをくれて本当に感謝しています。行動より頭で考えることにとらわれがちな私に、いつも決め手を与えてくれました（そのことを私は、「嫁ブロック」ならぬ、「嫁プッシュ」とよく言っています）。

おかげで、私は通勤電車のストレスからは解放され、子どもたちとの時間も過ごすことができています。

でも、今回の起業は、私の人生の変化だけに終わるものではなく、家族でより幸せに生きていくためのほんのスタートだと思っています。そのことを忘れず、今後も自分の「しごと」づくりに励んでいきます。この先も、いろいろな本を読んだり、いろいろなところを旅したりしながら、楽しい人生をつくっていきましょう。これからもよろしくお願いします。

2021年1月8日　平日の日中は仕事場と化した自宅のリビングにて

風間崇志

共著者の関根です。この本を読んでくださりありがとうございました。まちづくりや地域活性に関して何らかのご参考となりましたら幸いです。本書を世に送り出して下さったまつやま書房の山本社長、山本さん、内田さんに感謝いたします。

私が、ときがわ町に移り住んでから、12年が経ちました。当時、小1だった長女は、高3となり、もうすぐ巣立って行きます。中3の次女は、他の町の高校に通うことになります。ときがわ町に越してきてから生まれた長男は、小5に。次男は、年長で、はなぞの保育園に通っています。

4人の子供たちが、元気にすくすく育ってくれているのも、ときがわ町の豊かな自然と、近所（五明）の方々、通学路の見守り隊さん、学校と保育園の先生方、スポーツ少年団の皆さん、読み聞かせボランティアさん、町のインフラを支えてくれている町役場の皆さん、町のことを真剣に考えて下さる町議員さんといった地域の方々、そして何と言っても、うちの奥さんのお陰です。いつもありがとうございます。本当に、この町に越してきて良かったと、この本を書いて改めて感じています。

うちの子どもたちだけでなく、他の子達にとっても、生まれ育ったときがわ町を、誇りに思えるよう、私たち大人が、出来ることをしていきたいと考えています。その一つが、私の場合は、ミニ起業家の育成であり、そのための「比企起業塾」「比企起業大学」です。本書に登場くださった皆さんのお力や、読者の皆さんのご支援を賜りながら、進めていけたらと思っています。

この本では紹介しきれなかったのですが、まだまだ魅力的な活動をしている人たちが、ときがわ町には、たくさんいます。そのお一人が、比企起業塾　講師の林博之さんです。板橋区在住の林さんは、ときがわ材拡販事業に尽力されながら、ときがわ町と板橋区を、姉妹都市にするというビジョン実現に向けて動いていらっしゃいます。私にとっては、高校時代からの友人である林さんが、ときがわ町に関わってくれて、本当に嬉しいです。いつもありがとうございます。

ときがわ町には、まだまだ「余白」や「関わりしろ」が、たくさんあります。この本を読んで、ときがわ町に興味を持たれたなら、ぜひ一度遊びに来てください。里山風景と、魅力的な人たちが、ときがわ町で待っています。あなたも主役の一人として、何かやってみませんか？花咲かオジサンとして、応援しますよ。

関根雅泰

【著者紹介】
風間 崇志（かざま たかし）
1981年、埼玉県草加市生まれ。筑波大学・大学院卒業。2020年3月に埼玉県越谷市役所を退職し、起業。屋号「まなびしごとLAB」。行政と中小企業の中間支援や関係人口づくり、地域教育などに取り組む。2児の父。

関根 雅泰（せきね まさひろ）
1972年、埼玉県鴻巣市生まれ。熊谷西高校卒、南ミシシッピー大学卒。二社を経て独立し2005年、ラーンウェルを設立。2009年、ときがわ町に移住。2013年、東京大学大学院卒業。2016年、ときがわカンパニーを設立。4児の父。

地域でしごと・まちづくり試論
——ときがわカンパニー物語——

２０２１年2月２０日　初版第一刷発行
著　者　風間 崇志　関根 雅泰
発行者　山本 正史
イラストレーター　久保田 ナオ
印　刷　株式会社シナノ
発行所　まつやま書房
〒３５５－００１７　埼玉県東松山市松葉町３－２－５
Tel. ０４９３－２２－４１６２　Fax. ０４９３－２２－４４６０
郵便振替　００１９０－３－７０３９４
URL:http://www.matsuyama － syobou.com/

ISBN 978-4-89623-153-3 C0034